はじめて育てる

茶花の図鑑

花木指導／岡部　誠

草花指導／木崎信男

植物写真／木原　浩

世界文化社

はじめて育てる 茶花の図鑑 目次

秋の茶花を育てる 97

冬の茶花を育てる 133

茶花の育て方の基本 161

※この本は、二〇〇九年改訂のDNA分類体系に準拠しています。
※この本は、お茶のおけいこシリーズ『庭で育てる茶花』炉編・風炉編（２００４年刊行）のテキストを元に再編集したものです。
※茶花作品は別冊家庭画報『四季の茶花を楽しむ』春・夏・秋・冬（２００３〜２００４年刊行）より抜粋。

春の茶花を育てる

木通　馬酔木　油瀝青　梅　黄梅　木苺　木五倍子

黒文字　小手毬　辛夷　采振木　桜　山茱萸　四手

白山吹　檀香梅　接骨木　花筏　花海棠　花蘇芳

日向水木　土佐水木　木瓜　牡丹　万作　三椏

郁子　群雀　木蓮　桃　山吹　雪柳　利休梅　連翹

東一花　碇草　一輪草　二輪草　海老根　延齢草　錨草

踊子草　華鬘草　崑崙草　桜草　射干　春蘭　菫

稚児百合　菜の花　貝母　春咲雪の下　耳形天南星

山吹草　雪餅草　雪割草　羅生門葛

木通《あけび》

アケビ科アケビ属の落葉蔓性木本

木本

本州以西に分布し、山野に普通に生える。三葉《みつば》木通のほうが耐寒性があり、分布範囲が広い。雌雄同株。

鉢で育てることもできるが、盆栽風に太い幹を作ってから鉢揚げするか、行灯《あんどん》作りにする。

アケビコノハガの幼虫に葉を暴食されることがあるので、早めに捕殺する。

植えつけ　適期は春。棚仕立てか、フェンス仕立て、ポール仕立てで、なるべく鉢作りした苗を植える。移植もやはり春だが、根を切るので、幹を短く強剪定《きょうせんてい》して行う。

施肥　肥料は鉢植えの場合のみ夏秋期に控えめに施す。施肥により樹勢をつけると、実がつかないので注意する。

剪定　夏期は蔓状に伸びすぎた枝先を剪除する。落葉期の冬期には、短枝をつけた太い枝を均一に残し、細い枝、混み枝を剪除する。

ふやし方　実生《みしょう》による。

木通

花◎木通《あけび》　蔓桔梗《つるききょう》
花入◎古竹掛花入
花を入れる人◎田中昭光

三葉木通

馬酔木《あせび》

ツツジ科アセビ属の常緑低木

木本

排水のよい半日陰地を好むが、日陰や日なたにも耐える。鉢植えもできる。鉢用土は酸性土がよく、鹿沼土を半分ぐらい配合すると生育がよい。ハマキムシやグンバイムシがつくので早めに殺虫剤で防除する。

植えつけ　春がよいが、厳冬、盛夏の時期と新芽の発生時以外は比較的時期を選ばない。

施肥　緩効性《かんこうせい》化成肥料を施すが、多肥にすると花穂《かすい》の発生が遅れ、円錐《えんすい》花序《かじょ》が長くなる。

剪定　花殻《はながら》摘みをかねて花後に浅く刈り込むと樹形が整い、翌年花が均一につく。

ふやし方　挿し木でふやす。

油瀝青《あぶらちゃん》

クスノキ科クロモジ属の落葉低木

木本

本州以南に分布し、山中の谷沿いに自生する。半日陰に耐えるが、水はけのよい陽地を好む。雌雄異株。苗木の生産流通はほとんどないので、種を分けてもらうなどして、実生で育てることとなる。鉢植えで育てることもできる。

植えつけ　庭植えは三〜五本の株立ち仕立てにするとよい。移植は落葉開花前が適期。

施肥　鉢植えでは控えめに緩効性肥料を与えるが、地植えの成木では必要ない。

剪定　ひこばえなどの不要な枝を剪定する程度でよい。

ふやし方　採りまき実生で。

梅《うめ》

バラ科アンズ属の落葉小高木

木本

中国中部原産。奈良時代以前にわが国に伝来し、栽培されてきた。水はけのよい肥沃《ひよく》な陽地を好むが、比較的寒さや乾きに耐える。

紅梅など花梅《はなうめ》の場合は好みの品種を、小梅など実梅《みうめ》の場合は一本でも実がつく品種か、受粉樹が必要かなどを確かめてから入手し、植えたい。

植える場所が造成地の場合は、水はけをよくする配慮を。

●植えつけ・植え替え

植えつけ、移植は落葉期がよい。花が早く、寒気のある頃から咲くので、根の活動は早い。植え穴はなるべく大きく掘り、良質の堆肥《たいひ》などを混入し、少し高めに、接ぎ木部位が出るくらいの深さに植える。定植後、苗木の樹高を一メートルに切り縮め、必ずしっかりした支柱をする。このまま育て、三年後にその場所に合った樹形に仕立てる。

鉢植えにもできる。花梅の場合はむしろ鉢植えで観賞したほうが楽しめるのではないか。室内で花を観賞したら、新芽が動く前に外に出し、植え替える。同じ鉢の場合は、根鉢の根をほぐすようにして二〜三センチ切り縮め、新しい土で植える。

梅雨明け後、夕方の水やりを控えると葉が内側に巻くようになり、花芽ができる。

施肥　三月に油粕《あぶらかす》または緩効性《かんこうせい》化成肥料を施す。樹勢をつける場合は、夏秋期に春の半分程度の肥料を施すとよい。地植えでは秋冬期に鶏糞《けいふん》などを与えるが、成木では枝の伸びがよければ必要ない。

病害虫　梅の病虫害は多く、花芽の着生に影響するのは、新梢《しんしょう》について葉を縮れさせるアブラムシ類。農薬を使わない場合は、アブラムシがついた枝を切り除き、テントウムシなどの天敵を樹に戻しておく。また葉を暴食するテンマクケムシ（オビカレハ）は巣に集まったところを焼く。

剪定　幹から真上に伸びる徒長枝《とちょうし》を、早めに元から切り除く。斜めに伸びる生育枝は、冬に三分の一ほどを切り戻しておく。翌年この枝から短枝が何本も出て、花芽をよくつける。冬期の剪定はひこばえ、胴吹き枝、花がつかない徒長枝、下垂枝、絡《から》み枝などを切る。花後には混み枝を整理する。

ふやし方　一般に接《つ》ぎ木による。挿し木は五月下旬に新梢の伸び止まった枝先を密閉挿しする。

寒紅梅

白加賀

唐梅

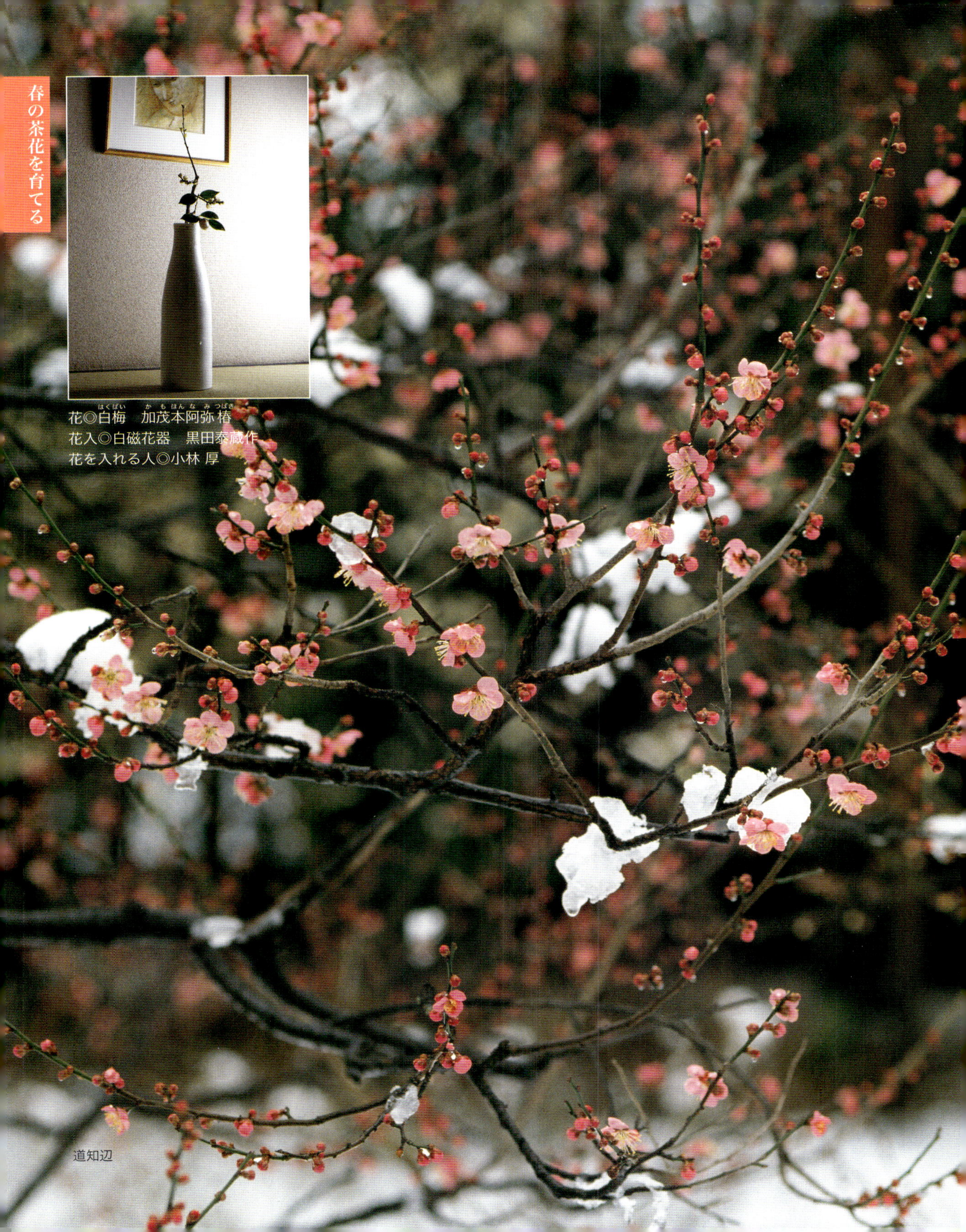

花◎白梅《はくばい》　加茂本阿弥《かもほんなみ》椿《つばき》
花入◎白磁花器　黒田泰蔵作
花を入れる人◎小林 厚

道知辺

黄梅《おうばい》

モクセイ科ソケイ属の落葉低木

木本

中国原産で中国名は迎春花。その名のとおり早春に開花する。日当たりがよく水はけもよい、肥沃《ひよく》地を好む。

植えつけ　周年可能。石積みや土手などに植えて垂れ下げると、観賞性が高まる。鉢替え、植え替えは毎年か、一年おきに行う。

施肥　花後、緩効性《かんこうせい》肥料をやや多めに施し、花がつく一年枝を早く長く伸ばす。盆栽風鉢植えではリン酸分の多い肥料を与え、水やりを加減して枝伸びを抑える。

剪定　鉢植えは開花した前年枝を花後、元の位置まで切り戻す。

ふやし方　剪定枝の挿し木でふやす。

木苺《きいちご》

バラ科キイチゴ属の落葉低木

木本

キイチゴ属植物の総称。生花用促成葉ものの名でもあるが、これの植物和名は「梶苺《かじいちご》」。関東地方以西の太平洋側の海岸近くに自生する。暖地性で日当たりのよい場所を好む。刺《とげ》がなく、果実は食べられる。鉢植えもできるが、長い枝が必要な場合は地植えのほうが育てやすい。

植えつけ　落葉期がよい。

施肥　地植えではほとんど必要ない。鉢植えでは施用。

剪定　密生した古い枝を根元から間引く。

ふやし方　三月に株分け、根分けする。挿し木もこの時期に、二〇センチ程度の挿し穂を地面に直《じか》挿しする。

紅葉苺

木五倍子《きぶし》

キブシ科キブシ属の落葉低木

木本

全国に分布し、雑木林や山地の林縁に生える。どちらかというと、適潤な半日陰地を好む。雌雄異株。

地植えにも鉢植えにもできる。水はけがよければ、土質を選ばない。鉢植えでは、水を切らさない、春期に枝伸びをさせる、夏期は半日陰に置くのがポイント。

植えつけ 植えつけ、移植ともに開花前の落葉期に。

施肥 春、花後の剪定時に。

剪定 ひこばえ、混み枝、大きくなりすぎた枝などを整理する。

ふやし方 挿し木による。六月に当年生の半熟枝を用い、葉二枚を半裁し、密閉挿しする。

黒文字《くろもじ》

クスノキ科クロモジ属の落葉低木

木本

東北地方南部以南の太平洋側に分布し、落葉樹の林内、林縁に自生する。日当たりのよい適潤地を好む。雌雄異株。

苗木の生産流通はほとんどない。茶花専門業者は花つきの株を扱っている。鉢植えにもできる。

植えつけ 植えつけ、移植は開花前の落葉期がよい。

施肥 鉢では肥料は春に控えめに施すが、地植えの成木では必要ない。

剪定 放任していても樹形はあまり乱れないので、大きくなりすぎた枝を自然風に切り戻すだけでよい。

ふやし方 採りまき実生《みしょう》による。

小手毬　こでまり

バラ科シモツケ属の落葉低木

木本

中国原産で、古い時代に渡来。北海道南部以南で栽培される。日当たりのよい適潤地を好む。

花のついた鉢植えが流通する。アブラムシやコナジラミがつくことがあり、スス病で汚れて見える。

植えつけ　植えつけ、移植の適期は落葉期。鉢植えは毎年、花後に植え替える。

施肥　春に鶏糞《けいふん》などの有機質肥料や緩効性《かんこうせい》化成肥料を。

剪定　花後、一定の高さで刈り込み、混んだ古枝を根元から除く。

ふやし方　挿し木で。三〇センチほどの大枝を六月に密閉挿しすると、翌春観賞できる。

辛夷　こぶし

モクレン科モクレン属の落葉高木

木本

日本中に分布し、山地や丘陵に自生。モクレン属のなかでは最も耐寒性があり、乾きにも比較的強いので街路樹に利用される。水はけのよい陽地を好む。強健で種子が得やすく、木蓮《もくれん》や白《はく》木蓮の接《つ》ぎ木台にされる。

植えつけ　落葉期がよい。移植はややむずかしい。植えつけるときはコンテナ苗を。大きくなったものを移植する場合は、前年に根作りをしておく。

施肥　育生期および鉢植えに施用。

剪定　間引き剪定や切り戻しで一定の大きさに保つ。

ふやし方　実生《みしょう》でふやす。六月に挿し木もできる。

采振木《ざいふりぼく》

バラ科ザイフリボク属の落葉小高木

木本

岩手県以南に分布。雑木林の林縁などに自生する。日当たりのよい適潤地を好む。近年は花つきのよいアメリカ采振木（ジュンベリー）の生産流通が多い。

植えつけ　植えつけ、移植ともに落葉期がよい。鉢植えにもできる。幹立ちするが、家庭では三～五本の株立ちに仕立てたい。

施肥　肥料は夏秋期に施すが、生育がよく実つきが悪い場合は施肥はしない。

剪定　あまり必要はない。ひこばえと混み枝、大きくなりすぎた枝を切る程度。

ふやし方　六月に採りまき実生と緑枝挿しで。

桜《さくら》

バラ科サクラ属の落葉高木～低木

木本

庭木に用いられる樹種、品種は多いが、いずれも水はけのよい陽地を好む。

葉を暴食するアメリカシロヒトリやモンクロシャチホコ、コガネムシ類は発生初期に防除する。

植えつけ　植えつけ、移植ともに花が咲く前の落葉期がよい。鉢植えでは秋に植え替えをする。

施肥　肥料は早春に施す。地植えの成木には必要ない。

剪定　ひこばえや大きくなりすぎた枝などを切る。太い枝を切った場合はトップジンMペーストなどの殺菌剤入りの塗布剤を切り口に塗っておく。

ふやし方　接ぎ木でふやすが、啓翁《けいおう》桜や東海桜は三月に休眠枝挿しができる。

山桜

染井吉野

山茱萸《さんしゅゆ》

ミズキ科ミズキ属の落葉小高木

木本

中国、朝鮮半島の原産で、江戸時代に薬用植物として渡来。広く栽培される。日当たりのよい適潤地を好む。

花つきのよい品種や実の大きい品種が接ぎ木苗で流通する。コンテナで咲かせたものも店頭に並ぶ。地植えにも鉢植えにもできる。鉢植えでは、鉢に合わせて樹高を低く仕立てる。

植えつけ　植えつけ、移植ともに適期は落葉期。

施肥　果実を期待する場合は、肥料を夏から秋に施す。

剪定　ひこばえと徒長枝《とちょうし》を切り取り、場所によっては横に張る枝も切る。

ふやし方　実生《みしょう》によるが、接《つ》ぎ木すると着花が早い。

四手《しで》

カバノキ科クマシデ属の落葉高木

木本

赤四手、犬四手、熊四手などを総称した呼称。いずれも陽地を好む。赤四手は日本中に分布し、肥沃《ひよく》な適潤地に自生、犬四手は岩手県以南の低山の雑木林に、熊四手は本州以西の丘陵や山地の谷沿いに自生する。

苗木の店頭流通は少ないが生産はあり、家庭では株立ち仕立てなどで利用される。

植えつけ　植えつけ、移植ともに落葉期がよい。鉢植えでは一～二年に一度は植え替える。

施肥　春に行う。地植えの成木では必要ない。

剪定　間引き、または切り戻しで自然樹形を保つ。

ふやし方　一般には採りまき実生でふやす。

犬四手

白山吹《しろやまぶき》

木本

バラ科シロヤマブキ属の落葉低木

本州（中国地方）にまれに自生があり、朝鮮半島南部、中国中部にまで分布する。半日陰に耐えるが、水はけのよい陽地を好む。

鉢植えにもできるが、地植えのほうが栽培しやすい。とくに土質を選ばず、病害虫もない。

植えつけ　植えつけ、移植ともに落葉期がよい。

施肥　地植えでは施肥の必要はない。鉢植えには施用。

剪定　株立ちになるので細いひこばえや枯れ枝、混み枝を剪定する程度。

ふやし方　ふやすのは実生によるが、採りまきしても発芽は翌々春になる。六〜七月に緑枝挿しができる。

檀香梅《だんこうばい》

木本

クスノキ科クロモジ属の落葉低木〜小高木

福島県以南に分布し、山地の落葉樹の林内や林縁に自生する。日当たりのよい適潤地を好む。雌雄異株。

苗木の流通はほとんどないので、茶花植物の専門店で求める。鉢植えにもできる。葉を傷めると花つきに影響するので乾かさないよう、水切れに注意する。

植えつけ　植えつけ、移植ともに適期は落葉期。

施肥　地植えでは不要。鉢植えには施用する。

剪定　大きくなりすぎたら必要な高さの小枝の上まで切り戻すくらい。

ふやし方　実生による。雄花のほうがにぎやかなので、実生の台木に雄株の枝を接ぎ木するとよい。

接骨木《にわとこ》

レンプクソウ科ニワトコ属の落葉小高木

木本

本州、四国、九州に分布し、林縁に自生する。半日陰に耐えるが、日当たりのよい適潤地を好む。

公園緑地にはよく植えられているが、家庭での利用は少なく、店頭流通はほとんどない。普通は種を分けてもらって実生《みしょう》から育てることになる。小さく作り込めば、鉢での栽培も可能である。

植えつけ 植えつけ、移植ともに適期は落葉期。

施肥 苗木育成時以外は不要。鉢植えは春に。

剪定 地植えでは空間の大きさに応じて枝張りを抑えるため、切り戻し剪定をする。

ふやし方 実生、または挿し木による。

花筏《はないかだ》

ハナイカダ科ハナイカダ属の落葉低木

木本

北海道南部以南に分布し、丘陵や山地の林内の湿った沢筋に自生する。雌雄異株。半日陰の適潤地を好む。花材にする場合は雌株と雄株を植える。

鉢植えにもできるが、水切れさせない工夫が必要。夏の西日を避けられるような場所で栽培するとよい。

植えつけ 植えつけ、移植ともに適期は落葉期。

施肥 地植えでは不要。鉢植えでは春に控えめに施す。

剪定 必要に応じて短い枝のところまで切り戻す。

ふやし方 実生で。果肉を洗い流し、鉢に採りまきする。挿し木は五月下旬～六月中旬に生育枝を密閉挿してふやす。株分けでもできる。

花海棠《はなかいどう》

バラ科リンゴ属の落葉小高木

木本

中国中西部原産種で、広く庭園に栽培される。地下水位の高いところにも耐えるが、日当たりのよい適潤地を好む。

　貝塚《かいづか》伊吹《いぶき》がそばにあると、赤星病が発生しやすいので、専用の殺菌剤で五月上旬、早期防除につとめる。

植えつけ　植えつけ、移植ともに落葉期がよい。鉢植えができるので、鉢での花観賞ののち、植えつけるのもよい。時期は問わない。

施肥　鉢植えでは、リン酸分の多い肥料を春と秋に施す。地植えでは、不要。

剪定　冬にひこばえや徒《と》長《ちょう》枝《し》、混み枝を切り除く。花芽は短枝につきやすく、長い生育枝を二分の一に切り縮めておくと短枝ができやすい。

ふやし方　接《つ》ぎ木による。

花◎海棠《かいどう》　白藪椿《しろやぶつばき》
花入◎信楽《しがらき》壺
花を入れる人◎小川良子

花蘇芳《はなずおう》

木本

マメ科ハナズオウ属の落葉低木～小高木

中国中北部原産種で、古くから庭に植えられる。半日以上の日当たりのよい、適潤地を好む。

地植えにも鉢植えにもできる。鉢植えの苗木が流通するので、開花期に入手すると、白花種かどうかということも確かめて植えられる。病害虫はほとんどない。

植えつけ 植えつけ、移植ともに落葉期がよい。

施肥 春に緩効性《かんこうせい》化成肥料などを施す。

剪定 花後なるべく早く行う。放っておくと、種子がたくさんついて新梢《しんしょう》の伸びが悪くなり、翌年の花が少なくなる。ひこばえは発生ししだい、早めに切り除く。

ふやし方 実生《みしょう》で。ただし園芸品種は接《つ》ぎ木による。

日向水木・土佐水木

ひゅうがみずき・とさみずき

木本

マンサク科トサミズキ属の落葉低木

日向水木は石川県から兵庫県にかけての日本海側に、土佐水木は高知県に自生する。ともに半日陰に耐えるが、陽地を好む。

鉢植えにもできる。鉢植えでは、水切れすると葉の縁が枯れるので注意する。

植えつけ 植えつけ、移植ともに落葉期に。

施肥 地植えでは必要としないが、鉢植えでは花後の剪定時に緩効性の化成肥料などを施す。

剪定 日向水木は必要に応じて花後に刈り込むことができる。

ふやし方 実生でふやせるが、一般には挿し木でふやす。

日向水木

土佐水木

木瓜《ぼけ》

バラ科ボケ属の落葉低木

木本

中国中北部原産種で、北海道南部以南に植栽される。鉢植えでは夏期に乾かさないことがポイント。

重要な病気の一つに根頭ガン腫病があり、入手の際にこぶ（ガン腫）がついていないか、よく確かめることが大事。赤星病は専用の殺菌剤で防除する。

植えつけ　植えつけ、移植ともに一般に秋がよい。花つきの鉢植えを入手し、花後に地植えする。

施肥　春と秋に行う。地植えではほとんど必要ない。

剪定　秋から冬の間に、ひこばえ、混み枝、徒長枝《とちょうし》などを切り除く。

ふやし方　六～七月に密閉挿しで容易に発根する。

牡丹《ぼたん》

ボタン科ボタン属の落葉低木

木本

中国北西部原産種。高温多湿を嫌い、水はけのよい肥沃《ひよく》な陽地を好む。

蕾《つぼみ》が枯れる主な原因はイチゴセンチュウ。切除後、殺虫剤を散布。

植えつけ　苗木が出回る秋から春にかけて、鉢植え促成ものは花が終わりしだい。鉢植えでは二年ごとに植え替える。盛夏には半日陰にし、水切れしないように、水やりをする。

施肥　一～二月に粒状の苦土石灰《くどせっかい》を少量表土に混入し、有機質肥料の寒肥、三月下旬、五月中旬、九月上旬の追肥に化成肥料を施す。

剪定　低く仕立てたい場合は、花後に必要な高さまで切り戻す。新梢の低い位置に花芽をつけたい場合は、上部の脇芽がふくらみしだい削り取る。

ふやし方　実生で。園芸種は接ぎ木による。

万作《まんさく》

マンサク科マンサク属の落葉小高木

木本

「満作」とも。本州の太平洋側から四国、九州に分布し、山地のやや乾いた斜面や尾根の林内に自生。北海道南部以南にも植栽される。水はけのよい陽地を好む。

植えつけ 植えつけ、移植ともに落葉期がよい。花つきの鉢植えが流通するので、鉢替えして栽培できる。

施肥 花後に緩効性《かんこうせい》化成肥料などを与える。地植えの成木には必要ない。

剪定 ひこばえや大きくなりすぎた枝を、必要に応じて小枝のところまで切り戻す。花は前年枝から出る短枝につくので、花がなくても切ってしまわないこと。

ふやし方 実生《みしょう》、挿し木、接《つ》ぎ木で。

三椏《みつまた》

ジンチョウゲ科ミツマタ属の落葉低木

木本

中国中西部からヒマラヤの原産種で室町時代に渡来し、繊維植物として栽培された。日当たりと水はけのよい場所を好む。

植えつけ 植えつけ、移植は落葉期。鉢植えもできる。用土は腐葉土をやや多めに混合し、水はけよく植える。

施肥 鉢植えでは、肥料は春に施す。

剪定 若枝は徒長《とちょう》的に一本枝で伸び、樹勢が落ち着くと三本に分枝、自然に丸い樹形になる。したがって普通は剪定の必要はない。花後に刈り込み整形ができる。

ふやし方 普通実生によるが、挿し木もできる。朱赤色の花などの園芸品種は接ぎ木をしている。

虫狩《むしかり》

レンプクソウ科ガマズミ属の落葉小高木

木本

別名大亀樹《おおかめのき》。北海道をはじめ日本中の山地に自生が見られる。半日陰に耐えるが、水はけのよい陽地を好む。萌《ほう》 ときにサンゴジュハムシの幼虫が葉を暴食する。芽《が》期に殺虫剤を散布すると、効率よく防除できる。

植えつけ　植えつけ、移植の適期は落葉期だが、生産流通はほとんどない。種を採りまきして実生で育てるか、六月に緑枝挿しする。

施肥　地植えでは必要ないが、苗木育生中は根元近くに置肥する。

剪定　必要に応じて短枝のところまで切り縮める。

ふやし方　実生、または挿し木で。

郁子《むべ》

アケビ科ムベ属の常緑蔓性木本

木本

関東地方南部以西に分布し、海岸の常緑林内や林縁に自生が見られる。やや暖地性だが、青森県まで植栽がある。耐陰性が強いものの、陽地のほうが実がつきやすい。実生のポット苗が生産流通する。地植えにも鉢植えにもできる。

植えつけ　春がよい。

施肥　鉢植えでは春、または秋から冬に控えめに肥料を施す。地植えでは必要ない。

剪定　整枝剪定はフェンス仕立て、棚仕立て、アーチ仕立てなどに整える。鉢植えは行灯《あんどん》仕立てにする。

ふやし方　実生で採りまき。密閉挿しも簡便。

群雀《むれすずめ》

木本

マメ科ムレスズメ属の落葉低木

中国北部原産で江戸期に渡来。耐寒性があり、全国で栽培される。日当たりのよい、やや腐植に富む肥沃《ひよく》地を好む。鉢植えにもできる。刺《とげ》があるので、むしろ鉢植えのほうが扱いやすい。

植えつけ　植えつけ、移植ともに適期は厳寒期を除く落葉期だが、強剪定《きょうせんてい》すればいつでも可能。鉢植えでは二年ごとに株分けと植え替えをする。

施肥　肥料は、痩《や》せ地や鉢植えでは花後に施す。

剪定　地下茎枝が出やすいので、剪定はひこばえを切り除くのが主となる。

ふやし方　株分けで。地下茎枝を切り離す。

木蓮《もくれん》

木本

モクレン科モクレン属の落葉低木〜小高木

辛夷《こぶし》の仲間で中国中部原産。耐寒性があり、日本中に植栽される。日当たりがよい肥沃な適潤地を好む。別名は「紫木蓮《しもくれん》」。

同じ辛夷の仲間の高木の白《はく》木蓮に比べ、樹形や葉が小型で、開花時期が半月ほど遅い。また根元からひこばえが出やすく、株立ちになりやすいなどの違いがある。よく似る唐《とう》木蓮はさらに小型で、ひこばえが出やすい。

剪定　枝すかしや切り戻しで一定の樹形に保つ。幹太りをよくするために、ひこばえを切り除く。

ふやし方　ひこばえを利用した取り木、挿し木で。

桃《もも》

バラ科モモ属の落葉小高木

木本

花を観賞する桃の品種を総称して「花桃《はなもも》」と呼ぶ。中国中北部原産で、古い時代に渡来し、北海道中南部以南に植栽される。果実用種は明治以降の導入である。風当たりが弱い陽地で、肥沃な砂壌土の土地を好み、比較的乾燥に耐える。

鉢植えの場合は矮性《わいせい》種や箒《ほうき》性の品種を選ぶと栽培しやすい。

縮葉病は発生ししだい病葉《わくらば》を摘み取る。カイガラムシは冬場に機械油乳剤で防除する。

植えつけ　移植とともに落葉期がよい。

施肥　鉢植えの花桃の施肥は、春の切り戻し剪定後に十分施す。地植えの場合は痩せ地以外では必要ない。

剪定　花後すぐに行うことが大事。遅れると花芽がつかなくなる。伸びすぎた枝は必要に応じて切り戻す。大きくなりすぎた場合は、強剪定で仕立て直す。太い切り口には腐りを防ぐため、トップジンMペーストを必ず塗布する。

ふやし方　実生《みしょう》の台木に接《つ》ぎ木するか、挿し木による。

花◎白花桃《しろはなもも》　玉之浦《たまのうら》椿《つばき》
花入◎真塗《しんぬり》手桶《ておけ》
花を入れる人◎武内範男

山吹《やまぶき》

バラ科ヤマブキ属の落葉低木

木本

日本中の山地の林縁や谷川沿いなど、やや湿った場所に自生する。半日陰に耐えるが、日当たりのよい肥沃《ひよく》な適潤地を好む。地植えのほうが栽培しやすいが、地下茎で広がるので要注意。

植えつけ　植えつけ、移植ともに落葉期に。

施肥　地植えでは不要。鉢植えでは施用する。

剪定　枯れ枝や古い枝を間引くように根元から切り取る。冬の間に枝先や細い枝が枯れることがよくあるので、春先に枯れた部分を切除し、広がった地下茎枝は発生のつど切除する。

ふやし方　株分け、挿し木による。

雪柳《ゆきやなぎ》

バラ科シモツケ属の落葉低木

木本

関東地方以西に分布し、山地の川岸や礫岩《れきがん》地に生える。植栽は北海道南部以南。水はけのよい陽地を好む。

植えつけ　植えつけ、移植ともに適期は落葉期。他の時期でも強剪定《きょうせんてい》すれば可能。鉢植えにもできる。

施肥　肥料は花後、刈り込んだときに施すが、枝を長く伸ばす必要のない場合は控えめにする。

剪定　花後の刈り込みと、枯れ枝の整理を。放任すると種がこぼれて雑草化するので注意する。

ふやし方　二～三月に株分け、または六～七月に緑枝の密閉挿しでふやす。後者は鉢に三〇センチの長い穂木を数本挿し、密閉すると翌春鉢で花が咲く。

利休梅《りきゅうばい》

バラ科ヤナギザクラ属の落葉低木

木本

中国中北部原産で明治時代に渡来。日本中で植栽される。寒さに強く、寒冷地のほうが生育がよい。土質は選ばないが、日当たりのよい肥沃な適潤地を好む。

植えつけ　移植ともに十月下旬～十一月と、二月下旬～三月がよい。やや切り詰めた樹形で鉢植えもできる。

施肥　普通は不要だが、痩《や》せ地では冬に鶏糞《けいふん》などを施す。鉢植えでは花後の剪定時に緩効性《かんこうせい》化成肥料を施す。

剪定　冬にひこばえ、混み枝、当年枝の切り戻しを行う。その際、当年枝の切り戻しは元枝を五～一〇センチ残しておくこと。

ふやし方　実生《みしょう》で、八～九月に採りまきする。

連翹《れんぎょう》

モクセイ科レンギョウ属の落葉低木

木本

中国中北西部の原産で十七世紀には渡来し、日本中に植栽される。日当たりのよい場所を好む。鉢植えにもできる。鉢植えであれば、矮性《わいせい》種が栽培しやすい。

植えつけ　植えつけ、移植ともに落葉期がよい。

施肥　冬に堆肥《たいひ》や鶏糞などを控えめに根元に置く。

剪定　樹勢がつくと徒長枝《とちょうし》が多数発生し、樹姿が乱れやすい。花後に長く伸びた枝の切り戻し、刈り込み、混み枝の間引きなどを行う。秋には必要に応じて軽く樹形を整える。コウモリガの被害があるので、虫糞をつけた枝を切り取り、捕殺する。

ふやし方　挿し木で。三月と六～七月が適期。

東一花《あずまいちげ》

多年生草本　キンポウゲ科

草本

山の開けた斜面に見られる。長い地下茎があり、その先に芽を作る。地上部があるのは一年のうちわずか二か月半くらい。葉のある間に肥培する。かなり気むずかしい植物で、気に入れば地植えでよくふえるが、気に入らなければむずかしい。

植えつけ・植え替え　九月に行う。基本は地植え。鉢では肥培が足りないためかなかなか咲かない。葉のない間は適度な湿度をもたせながら涼しく保つ。

用土　鉢で育てる場合は水はけのよい用土（配合は水はけがよければとくに問わない）を用いる。

ふやし方　種をまくが、開花までは数年かかる。

碇草《いかりそう》

多年生草本　メギ科

草本

比較的明るい林床《りんしょう》の植物。地植えにも鉢植えにもできる。日が強くなってからは半日陰にしないと葉を焼くことになる。地植えでは落葉樹の陰に置きたい。

肥培に注意する（普通の草ものより、多めにする）。

植え替え　早春の芽立ち前に行う。地下茎が堅く木化しやすく、その堅い部分を多く残すと鉢では咲かなくなるので、植え替えの際に木化した部分は外すようにする。

用土　赤玉土に腐葉土を三割程度混合した普通の用土でよい。

草本

一輪草《いちりんそう》・二輪草《にりんそう》

多年生草本　キンポウゲ科

一輪草は長い地下茎をもっていて、地上部だけを見ると独立して生えるが、二輪草は短い根茎をもち、やや湿りけのある明るい林床に群生する。

植えつけ　一輪草は基本は地植え。冬から花の時期までは明るく、夏秋は半日陰になる場所が望ましい。鉢では咲きにくいが、花後も適度な湿度を保って管理する。

二輪草は地植えに適し、土質にはこだわらない。鉢植えにする場合は深めの鉢で育てる。葉のある間の肥培が肝心。

用土　鉢植えでは、一輪草は水はけのよい用土、二輪草は腐植を多めにした用土を用いる。

一輪草

二輪草

草本

海老根《えびね》

多年生草本　ラン科

かなり暗めの林床に生える。都市化したところでは年々栽培しづらくなった。多肥に耐えないので、やや薄い液肥を月二回程度とする。水やりは朝一回を目安に。

植えつけ・植え替え　早春、あるいは九月。風通しがよくて涼しく、朝日が当たり、あとは日が当たらない場所が望ましい。やや高床にし、根茎を半分以上出して植える。鉢では毎年用土を替えて植え替える。地植えでも三年くらいで植え替え、用土も更新する。鉢は六号の丹波鉢を用いる。

用土　日向《ひゅうが》砂・鹿沼土・腐葉土の等量混合を。地植えでもこうした用土で床土を作る。

延齢草《えんれいそう》

多年生草本　シュロソウ科

草本

かなり暗い、空中湿度の高いところに生えるので、空気の乾きやすい都市部では栽培はやや困難。入手そのものは簡単で、山草店などでよく見かけ、大花延齢草とともにポット苗も出回る。地植えよりも鉢植えのほうが管理しやすい。

日なたで育て、四月後半から弱光とする。開花後二か月ほどで地上部は枯れる。

植え替え　発芽前の早春。ゆったりした鉢を使う。山葵《わさび》の根に似た太く短い根茎をもち年々大きくなるが、古い部分から腐りやすいので、植え替えの際に腐り始めている部分を切り取り、切り口を消毒しておく。

用土　洗った桐生《きりゅう》砂、鹿沼土、良質の赤玉土の等量混合。

大花延齢草

花◎大花延齢草《おおばなえんれいそう》　花筏《はないかだ》
花入◎竹一重切《たけいちじゅうぎり》
花を入れる人◎武内範男

延齢草

翁草《おきなぐさ》

多年生草本　キンポウゲ科

草本

割合に日当たりのよい山地に生える。地植えは管理がむずかしいので、鉢植えにする。肥培しないと花が咲きにくく、五〜六月と九〜十月に液肥を回数多く施す。しかしながら、肥培すると株の寿命が短いように思われるので、種をまいて次の株を準備しておきたい。

植え替え　芽出し前の早春に。太めの軟らかく長い根があるので深めの鉢を使うが、水はけ構造には注意すること。移植時に根を傷めないようにしないと腐る。

用土　水はけがよく癖のない用土なら種類を選ばない。

ふやし方　種による。採りまきして、開花まで早くて三年かかる。

踊子草《おどりこそう》

多年生草本　シソ科

草本

土に湿りけが多い、かなり明るい林床《りんしょう》などに生える。地下茎で繁殖して群落を作ることがある。

地植え、またはプランターなど土の量が多い条件で育てる。小鉢ではむずかしい。耐寒力はあり栽培は容易だが、夏に乾燥させないよう水やりに注意する。また強い日を避けるように配慮する。

植え替え　早春。秋の終わりに地下茎の先端に越冬芽を作るので、それを分ける。

用土　地植え、鉢植えとも腐植を多く含む用土を。

ふやし方　株分け、あるいは種をまく。採りまきにすると発芽率はよい。

草本

華鬘草《けまんそう》

多年生草本　ケシ科

日本に自生はなく、おそらくは中国からの渡来品かと思われる。大型になるので地植えにするか、プランターに植える。鉢では花が咲かなくなることが多い。

春は日当たりのよいところ、五月半ばからは半日陰が望ましい。水やりは朝一回を目安に。強い風を嫌う。ハダニに注意し、見つけたらすぐに防除する。花後に追肥を施すこと。

植え替え　秋の終わりの地上部が枯れた直後がよい。

用土　プランターでは一般園芸用土を用いる。

ふやし方　種の採りまきで。日なたで育てると苗は冬を越し、翌春に花が咲く。

華鬘草（別名鯛釣草）

崑崙草《こんろんそう》

多年生草本　アブラナ科

草本

低い山の谷筋など、地中水分が多く、地下水の動きがあって空中湿度も高い、半日陰の場所に生える。地下に短い地下茎をもっていて、その先端に冬芽を作る。
　草丈が六〇センチくらいになる大型の植物なので、地植えに向く。種は六月まき。鉢植えでは肥料を制限して、光線もやや弱めにして小作りする方法もある。

植え替え　芽立ち前の早春に。大きめの鉢などで育てるなら、水はけのよい用土で植え、水やりを多くして育てる。

用土　水はけのよい砂を主体にした用土で。

ふやし方　株分け（繁殖率は低い）、または種をまく。

桜草《さくらそう》

多年生草本　サクラソウ科

草本

桜草（日本桜草）には独特の鉢作り法があるが、ここでは普通の作り方で。
　六月からは半日陰とし、水切れを起こさないように注意。夏はハダニに注意し、九月末まで葉を健全に保ちたい。花が咲くまで葉に液肥などをかけないこと。花後に肥培する。

植え替え　地下茎の先に冬芽が作られ、このなかに花芽も含まれる。これを二〜三月に芽分けし、花芽だけを鉢に植え、葉芽は別に養生する（土に埋めておく）。その後、六月に一〜二センチ増し土をする。

用土　細かめのものであれば、とくに選ばない。

射干《しゃが》

多年生常緑性草本　アヤメ科

草本

湿りけの強い低山の林床《りんしょう》などに大群落を作ることがある。きわめて丈夫。水けさえあれば結構日がよく当たる場所でも育つ。大型で地植え向き。
　姫射干はまったく別物といってよい。冬は葉が枯れ、小型で鉢植え向き。浅鉢で作ると釣り合うので、地上茎を上部が見えるくらいに浅めに植える。肥培しながら半日陰で作るのがポイント。

植え替え　真冬を除き、いつでもできる。姫射干は三月の芽立ち前に。

用土　用土の質にはこだわらない。あまり肥培しない。姫射干は赤玉土に三割程度の桐生《きりゅう》砂を混ぜる。

春蘭《しゅんらん》

多年生常緑性草本　ラン科

草本

東洋蘭独特の栽培法があるが、ここではそれとは別の簡単な栽培法を。鉢は薄手の素焼き鉢で深めのものを用いる。置き場所は屋外で、半日陰がよい。六月の強い日射しが当たると、葉を焼くことになる。
　水は天気がよければ毎日やる。雨にも当てるし、梅雨でも取り込まない。冬は乾いた北風に当てないように注意する。肥料は春から夏にかけて、液肥の薄めのものを一〇日に一回与える。

植えつけ・植え替え　三月または九月に行う。植え替え時には根を切ったり、傷めないように注意する。

用土　赤玉土に一割くらいの腐葉土を混ぜたものを。

菫《すみれ》

草本

多年生草本　スミレ科

菫の仲間には実に多くの種類があり、日本のものだけで五〇種近くある。菫はこの仲間の総称であるが、固有の「菫」という名の種もある。

たいへん丈夫なものが多いが、個体そのものの寿命はあまり長くなく、種を採って更新して準備をしていないと、その種を維持できない。

半日以上日が当たる場所で管理し、水やりは朝一回程度を目安とする。風通しが悪いとサビ病が出やすいので注意する。気温が一五度を超えるようになると、花が咲かずにいつの間にか種がつくようになる（閉鎖花という）。

植え替え　三月初め。鉢は三・五号の丹波鉢がよい。

用土　赤玉土に腐葉土三割の混合土。

ふやし方　原則として種による。種は熟すとはじけてしまうので、下を向いていた莢（実）が斜め上を向いたときに莢ごと採り、ハトロン紙の封筒に入れて口をクリップなどで閉じておくと、一日くらいで種が弾ける。この種を六月にまけば、翌年の四月頃には花が咲く。

菫

立坪菫

花◎菫《すみれ》二種《にしゅ》
花入◎鋤《すき》
花を入れる人◎武内範男

草本

稚児百合《ちごゆり》

多年生草本　イヌサフラン科

自生する場所の多くは、やや湿りけのある明るめの場所である。日が強いと葉の色が黄ばむので、葉の色を見て光の量を調節する。自然状態ではハダニ被害の株に出会うことはまずないが、都市部ではハダニの被害を受けやすいので注意する。

植えつけ・植え替え　芽立ち前の早春に。

用土　腐植の多い山草用土が適する（肥料分が少ない一般園芸用土でもよい）。

ふやし方　地中の浅いところを横に走る地下茎の先に、新しい芽が作られる。ふやすときは、この芽を分けるか、株分けする。

草本

菜の花《なのはな》

越年生草本　アブラナ科

日当たりのよいところで、種を直《じか》まきすることを原則とする。肥料を多くすると茎が太く丈が高くなるので、用途によって加減する。また品種による姿の差が大きいので、品種を吟味して望みの種類を入手する。強い霜は避け、積雪で倒れるので雪除けを考えておく。

植えつけ　早咲き種は九月中旬まきで十二月初め頃から、十月中旬まきで二月中旬頃から咲き出す。発芽適温が二〇度くらいなので、この点も考えてまく時期を選ぶが、気温が高い時期のほうが生育がよく、早く咲き出す。

用土　プランター栽培では一般園芸用土を用いる。

貝母《ばいも》

多年生草本　ユリ科

草本

中国原産と思われ、自生地の環境は不明。茶花では楚々《そそ》としたその風情が好まれる。

地植えで、開花後から休眠までの四〇～五〇日の間に十分肥料を施すと、毎年よく咲く。夏場に暑がるので、植えてある場所が暑くならないように、日除けや風通しを工夫する。水やりは朝一回を目安とする。

植えつけ・植え替え　芽立ち前の早春。できれば直射日光の当たらない明るい日陰で、地植えしたい。鉢では球根を購入、植えつけした翌年はよく咲くが、以後は球根が小さくなって咲きにくいので、地植えのほうがよい。

用土　鉢植えでは大きめの鉢を使い、赤玉土に腐葉土を三割程度混合した土を用いる。

ふやし方　自然分球による。たくさんふやしたい場合は種を採りまきするが、開花までに数年を要する。

花◎貝母《ばいも》
花入◎弥生壺《やよいつぼ》
花を入れる人◎田中昭光

春咲雪の下《はるざきゆきのした》

草本

多年生常緑性草本　ユキノシタ科

春雪の下とも。湿りけの多い山の急な斜面に生える多汁の草。葉の量は少なくなるものの、冬でも葉がある。夏場、やや暑がって葉が傷むことが多いが、花後に植え替えておくと傷みが少ない。

　夏の乾燥と強い光線には注意が必要。あまり肥料をやると風情がなくなるので控えめにしたい。

植え替え　早春でも、花後の六月でもよい。鉢では早春に植え替えて、花後にもう一度植え替えるとよい。

ふやし方　通常の雪の下同様、吸枝《きゅうし》の先に子株が作られるので、これを分けてふやす。

耳形天南星《みみがたてんなんしょう》

草本

多年生草本　サトイモ科

「耳形」とは、花の下部がやや広く横に張っているところからついた名前。浦島草など他の天南星類に比べて約一か月早く開花する。

　地植えのほうがよいが、深鉢で栽培しても毎年よく咲く。日なたで育てるが、五月頃からは少し遮光《しゃこう》して光を弱めないと早く葉が傷む。水やりは朝一回を目安とする。

植え替え　芽が動く前の二月。

用土　鉢植えでは一般園芸用土を用いる。鉢は深さが三〇センチ以上あるものを使い、球根の上に一〇センチくらい用土がかぶるくらいの深さに植えるとよい。

山吹草 やまぶきそう

多年生草本　ケシ科

草本

割合に乾きやすい石垣の間など、ほかの草が生えにくいような場所に生える。軟らかく傷つきやすい草で、風当たりの強いところなどでの栽培はむずかしい。

　地植えにも鉢植えにもできる。ただし移植はむずかしく、また移植すると根が腐りやすいので、種から育てる。午前中に日が当たるような場所で育てるが、夏は日除けして地面の温度を上げないように気をつける。

植えつけ　栽培予定の鉢なり場所に直《じか》にまくか、ポットにまいて、根を傷めないように定植する。

用土　鉢植えの際の用土は一般園芸用土でよい。

ふやし方　種の採りまきで。

雪餅草 ゆきもちそう

多年生草本　サトイモ科

草本

暖かい地方の林床《りんしょう》に生える。関東では鉢植えの場合、冬の寒さに当てないような配慮をしたい。また雌雄異株なので、赤い実を目的にする場合はとくに注意する。

　地植えのほうが栽培しやすいが、深鉢で栽培しても毎年咲く。鉢は深さが三〇センチ以上あるものを使い、球根の上に七〜八センチほど用土がかぶるくらいの深さに植えるとよい。水やりは朝一回を目安とする。

　日なたで育てるが、五月頃からは光を弱めにし、強い風に注意する。とくに四〜五月の風には注意。

植え替え　芽が動く前の三月。

用土　鉢植えでは腐植の多い用土で植える。

雪割草《ゆきわりそう》

草本

多年生草本　キンポウゲ科

「三角草《みすみそう》」とその近種の「洲浜草《すはまそう》」をいい、早春の花として愛好される。鉢で栽培する。地植えすると生育がよくない。春までは日なたで育て、夏秋期は日陰に置く。肥培しないと花の咲き具合が悪い。春から梅雨前までと秋に、液肥を週に一回くらい施す。ネマトーダ（線虫）による根への被害を受けやすいので、用土や鉢に卵がないことが大事。用土も鉢も消毒する。

植え替え　早春に。

用土　赤玉土単用か、腐葉土を二割ほど混ぜて用いる。

ふやし方　種も利用できるが、開花までに時間がかかるので、株分けのほうがよい。

雪割草（大三角草）

羅生門葛《らしょうもんかずら》

草本

多年生草本　シソ科

蔓状によく伸びる草で、鉢で管理するのはかなりむずかしい。春に花が咲く頃まではあまり伸びないが、花のあと急速に伸びだす。日なたで育てるが、暑くなってから強い日に当てると弱るので、夏から秋にかけて半日陰にする。施肥はあまりしない。

植え替え　早春に。

用土　普通の園芸用土でもよいし、赤玉土に腐葉土を三割ほど混ぜたものでもよい。

ふやし方　五～六月に挿し芽でふやす。また蔓が伸びてところどころで根を下ろす癖があるので、そこで切って新しい株とすることもできる。

夏の茶花を育て

紫陽花　空木　売子の木　大山蓮華　莢蒾

金糸梅　下野　車輪梅　忍冬　髄菜　谷空木

定家葛　夏椿　庭七竈　野薔薇　梅花空木　白丁花

一葉梣　未央柳　藤　富貴草　紅満天星　木槿

甘野老　鼓草　浦島草　小車　苧環　唐糸草

黄菅　擬宝珠　京鹿子　金鳳花　金鈴花

黒百合　下野草　芍薬　菖蒲　升麻　白糸草　白根葵

睡蓮　鈴蘭　先代萩　茅萱　丁字草　鉄線　朱鷺草

虎の尾　鳴子百合　捩花　野薊　蓮　半夏生

一人静　姫沙参　姫檜扇水仙　昼咲月見草　風船葛

二人静　紅花　宝鐸草　蛍袋　禊萩　都忘れ　紫露草

藪茗荷　破れ傘　雪笹　雪の下　百合　立金花　連理草

紫陽花《あじさい》

木本

アジサイ科アジサイ属の落葉低木

適潤地ならびに明るい半日陰地を好む。乾きと強い西日にやや弱く、やや暖地性。

鉢で育てる場合は水切れさせないことと、花後は低く剪定し、根を三分の一ほど切って植え替えることがポイントとなる。

植えつけ　植えつけ、移植は休眠期の冬が最も安全。生育期に移植する場合は強剪定する。鉢植えを地植えする場合はとくに時期を選ばない。

施肥　地植えの場合は冬期に油粕《あぶらかす》、鶏糞《けいふん》などの有機質肥料を株元に散布し、土に軽く混入する。定植二〜三年後からは、樹勢がよければとくに施肥の必要はない。鉢植えは春期に追肥する。

剪定　花殻《はながら》摘みは花後に、最上部の葉をつけて切る。また、三年以上の古い枝を間引くように切る。花がつかない当年枝も、望む高さで七月末までに切る。

ふやし方　二〜三月、六月に挿し木、または明るい日陰地で鉢などに密閉挿しする。

花◎山紫陽花《やまあじさい》　紫蘭《しらん》
花入◎一草亭《いっそうてい》好鉄透《てつすかし》 腰高《こしだか》花入
花を入れる人◎武内範男

山紫陽花

額紫陽花

空木《うつぎ》

木本

アジサイ科ウツギ属の落葉低木

日当たりがよく、水はけのよい肥沃地《ひよくち》を好み、とくに土質を選ばない。丈夫で栽培も容易。鉢植えにもできる。姫空木は鉢で育てやすいが、水切れすると花芽がつかなくなるので注意する。アブラムシや幹に食い込むボクトウガの被害が出やすいので、早めに防除する。

植えつけ　秋から春先がよいが、花後でも強剪定《きょうせんてい》すれば可能である。移植も同時期。鉢植えはいつでも可能。

施肥　鉢栽培では、剪定後、少量を追肥する。

剪定　花後なるべく早めに、七月上旬までに終える。古い枝を間引くように切り、刈り込んで整姿する。

ふやし方　六～七月の梅雨どきに挿し木でふやす。

売子の木《えごのき》

木本

エゴノキ科エゴノキ属の落葉小高木

半日陰に耐えるが、日当たりのよい適潤地を好み、その環境では花つきがよくなる。鉢栽培もできる。とくに赤花の品種は樹勢が強くなく、鉢で育てやすい。赤花品種は挿し木の小苗にも花をつける。

目立つ病害虫もないので、育てやすい樹種である。

植えつけ　植えつけ、移植ともに落葉期が適期。

施肥　鉢植えの場合や苗木を育てるときには肥料を与えるが、地植えでは必要ない。

剪定　整枝と剪定は徒長枝《とちょうし》を除く程度に軽く行う。

ふやし方　実生《みしょう》で。赤花や枝垂《しだ》れの品種は六月に挿し木でふやす。

大山蓮華《おおやまれんげ》

木本

モクレン科モクレン属の落葉低木〜小高木

大葉大山蓮華、受咲《うけざき》大山蓮華の流通が多い。水はけと日当たりがよい適潤地を好む。

植えつけ　落葉期に行うが、成木の移植はやや困難。鉢作りした苗木を植えるのが最も無難で、大鉢であれば鉢栽培もできる。

施肥　冬期に、鉢植えと幼木に有機質肥料と緩効性《かんこうせい》化成肥料を控えめに施す。病害虫はほとんどない。

剪定　花後、必要に応じて短い枝まで切り戻す程度とする。強剪定すると徒長枝が伸び、花芽がつかない。徒長枝は早めに、倒すようにひもで引いて誘引する。

ふやし方　実生、または辛夷《こぶし》に接《つ》ぎ木する。

花◎大山蓮華《おおやまれんげ》　卯《う》の花《はな》
花入◎唐銅仙盞瓶《からかねせんさんびん》
花を入れる人◎小川良子

大葉大山蓮華

莢蒾《がまずみ》

木本

レンプクソウ科ガマズミ属の落葉低木

茶花では深山《みやま》莢蒾、小葉《こばの》莢蒾が好まれる。日当たりがよく、水はけのよい適潤地を好み、地植えにも鉢植えにもできる。半日陰にも耐えるが、花つきはよくない。

葉を暴食するサンゴジュハムシの防除は大事な作業。桜の染井吉野が咲く頃の萌芽《ほうが》時、スミチオンなどによる防除が効果的である。

植えつけ　落葉期に行う。やむをえず夏の緑葉期に移植する場合は強剪定《きょうせんてい》してから植えつける。

施肥　鉢植えでは三月に少量施す。地植えは必要ない。

剪定　必要に応じて徒長枝《とちょうし》を切除、または切り戻す。

ふやし方　三月、六月に挿し木による。

黄素馨《きそけい》

木本

モクセイ科ソケイ属の常緑低木

日当たりがよく、水はけのよい肥沃地《ひよくち》でよく生育する。土質はとくに選ばない。暖地性で、寒冷地では秋に落葉する。

植えつけ　春に行う。鉢植えにすることもでき、その場合、寒冷地では暖かい場所に移動できる利点がある。

施肥　油粕《あぶらかす》などの有機質肥料を三～四月に与える。

剪定　あまり行わないが、大きくなりすぎた場合は花後に必要な高さまで切り戻す。

ふやし方　三月、または五～六月に挿し木でふやす。

金糸梅《きんしばい》

木本

オトギリソウ科オトギリソウ属の常緑～半常緑低木

日当たりと水はけのよい場所を好むが、明るい日陰にも耐える。地植えにも鉢植えにもできる。

病害虫はあまりないが、姫金糸梅にはサビ病がつくことがあり、専用の殺菌剤で早めに防除する。

植えつけ　二～三月、または初冬に行う。

施肥　二～三月に油粕と化成肥料を施す。地植えの成木には必要ない。

剪定　大きくなりすぎた場合は花後、刈り込み剪定する。

ふやし方　三月は庭に直《じか》挿しが、六月には密閉挿しができる。

下野《しもつけ》

木本

バラ科シモツケ属の落葉低木

日当たりと水はけのよい場所を好み、砂質地でよく育つ。鉢作りにもできる。

植えつけ　落葉期に行う。鉢苗は通年植栽できる。

施肥　緩効性《かんこうせい》化成肥料を二～三月、六月、九月に施す。

剪定　刈り込み剪定は三月。強剪定すると、強い枝が伸びて大きい花をつける。咲き終わった花殻《はながら》を切り除くと、六月以後は分枝上に花をつける。細い枝が密生するとウドンコ病が発生しやすく、強剪定で枝数を少なく、勢いのよい枝葉にするとかかりにくい。

ふやし方　挿し木で三月に、六～八月には密閉挿しにする。

車輪梅《しゃりんばい》

バラ科シャリンバイ属の常緑低木

木本

生け垣などに好まれる。とくに赤花の品種は苗木から花をつけ、広く流通している。水はけのよい日なたを好み、地植えにも鉢植えにもできる。

サビ病にかかると観賞性を損なうので、サビ病専用の殺菌剤で防除する。

植えつけ 三～四月だが、鉢苗の定植は時期を選ばない。鉢植えの場合は植え替えを三年ごとに行う。

施肥 鉢植えや苗木には肥料を施す。

剪定 花後、大きくなりすぎたら切り戻す程度に行う。

ふやし方 実生《みしょう》で。園芸品種は六～八月に密閉挿しでふやす。

忍冬《すいかずら》

スイカズラ科スイカズラ属の半常緑蔓性低木

木本

山野の林縁に自生し、日当たりがよく、水はけのよい場所を好む。樹勢は強く、他の樹木に絡《から》み覆うばかりとなる。

植えつけ 春に行う。とくに土質は選ばない。鉢植えの場合は二回りほど大きい鉢に植える。地植えはフェンス仕立てかポール仕立てにし、伸びた蔓を誘引する。

施肥 鉢植えではごく少量を。地植えでは必要ない。

剪定 花後に行い、その後も蔓が伸び次第、誘引と剪定をし、他の樹木に絡まないようにする。鉢植えは行《あん》灯《どん》支柱を立てる。

ふやし方 三月か六月に、挿し木による。

髄菜《ずいな》

木本

ズイナ科ズイナ属の落葉低木

流通が多いのは北米産の小葉《こばの》髄菜。半日陰も耐えるが、日当たりがよいところでは花つき、紅葉ともによい。

植えつけ　植えつけ、移植は通年できる。日当たりがよければ土も選ばない。鉢植えでよく花をつけるが、乾くと葉を落とすので、水受け皿を置くと育てやすい。

施肥　秋冬期～春期に少量の肥料を与える。肥料が多いと紅葉が鮮やかにならないので控えめに。

剪定　花後に徒長枝《とちょうし》、混み枝を除く程度に行う。強く刈り込むと徒長枝が伸びて花がつかない。

ふやし方　夏期に水挿しでふやすのが最も簡便。

花◎小葉髄菜《こばのずいな》
花入◎砂張釣舟《さはりつりふね》
花を入れる人◎小林 厚

谷空木《たにうつぎ》

木本

スイカズラ科タニウツギ属の落葉低木

半日陰に耐えるが、山野の谷間など、日当たりのよいところで花つきがよくなる。とくに土質を選ばない。病害虫防除はほとんど必要ない。

植えつけ　落葉期間中。鉢苗は周年植えつけが可能。鉢植えは径三〇センチ以上の鉢が栽培しやすい。

施肥　鉢栽培では控えめに、庭植えは植えた年に施す程度。

剪定　花後、七月までに行う。生育がよいので三年程度の古い枝は根元から間引き、一メートルくらいの、三～四本の幹枝にしておく。

ふやし方　梅雨どきと三月に挿し木で。

突抜忍冬《つきぬきにんどう》

木本

スイカズラ科スイカズラ属の半常緑蔓性木本

日当たりのよい場所を好む。とくに土質を選ばない。丈夫で生育旺盛、他の植物に絡《から》み覆うので、独立したフェンスやポール仕立てにするとよい。鉢栽培は行灯《あんどん》支柱を立てた十号（三〇センチ）鉢に植えると管理しやすい。

植えつけ　三～四月が適期。根元から出た生育枝には花芽がつかないので誘引しておくと、翌年花がつく。

剪定　花後、長く張り出した枝を整理する。

施肥　控えめに施す。

ふやし方　三月、七月に密閉挿しする。

躑躅《つつじ》

木本

ツツジ科ツツジ属の落葉低木～半常緑低木

ヤマツツジ、ミツバツツジ等

水はけのよい、腐植質の酸性土で生育がよく、半日陰に耐えるが陽地で花つきがよくなる。病害虫防除はグンバイムシなど。

植えつけ　落葉期が適期。鉢栽培は鹿沼土に植える。水切れさせないことが肝要。実生《みしょう》苗は開花までに四～五年かかる。

施肥　三月、九月に油粕《あぶらかす》、緩効性《かんこうせい》化成肥料などを根元に表面施用する。

剪定　ほとんどしない。鉢栽培では種をつけないように花殻《はながら》を摘む。

ふやし方　実生と、六月の密閉挿しによる。

蓮華躑躅

定家葛 ていかかずら

キョウチクトウ科テイカカズラ属の常緑蔓性木本

木本

山野に自生、岩や樹木に付着根を出して這《は》い上がる。耐陰性は強いが、花つきは陽地で多くなる。また、園芸品種のハツユキカズラは陽地で新芽が美しくなり、日陰地では発色しない。病害虫はほとんどない。

植えつけ　鉢植え苗であれば周年可能。花をつけるためにはフェンス仕立て、鉢植えでは行灯《あんどん》仕立てにする。

施肥　必要な大きさまで、春に一回施す。地植えではほとんど必要ない。

剪定　花後、伸びすぎた蔓を誘引、刈り込み整枝する。

ふやし方　六～七月に挿し木による。

夏椿 なつつばき

ツバキ科ナツツバキ属の落葉高木

木本

水はけ、日当たりがよく、腐植質に富む適潤地を好む。近縁種の姫沙羅《ひめしゃら》はさらに、夏の乾燥に弱い。病害虫はほとんどないが、姫沙羅にはシンドメタマバエやチャドクガがつくことがある。

植えつけ　休眠期が適期。鉢植えは管理が大変で、避けたほうが無難。

施肥　春、控えめに施す。

剪定　一般に行わない。必要に応じて同方向の小枝まで切り戻し、自然樹形を保つよう軽く行う。

ふやし方　実生《みしょう》と挿し木。種を乾かさないことが発芽をよくするコツ。挿し木は六月に密閉挿しによる。

庭七竈《にわななかまど》

バラ科ホザキナナカマド属の落葉低木

木本

日当たりのよい適潤地を好むが、土質はあまり選ばない。一年枝が次々に伸び、その先に花をつける。

植えつけ　落葉期が適期。寒冷地では三月にする。大鉢であれば鉢栽培もできるが、地植えのほうが花つきはよい。

施肥　植えつけ時に施し、その後はとくに必要ない。鉢植えでは毎年三月に植え替え、緩効性《かんこうせい》肥料を施す。

剪定　花後、咲き終わった枝を一定の長さに切り戻し、古い枝や混み枝は根元から切り除く。

ふやし方　挿し木、または株分けによる。

花◎庭七竈《にわななかまど》　藤豆《ふじまめ》
花入◎白磁《はくじ》花入　黒田泰蔵作
花を入れる人◎小林 厚

野薔薇《のいばら》

バラ科バラ属の落葉低木

木本

各地の林縁、川原、土手などに生える丈夫な木。栽培する場合は接ぎ木台に使われる刺無《とげなし》野薔薇がよい。地植えにも鉢植えにもできる。病害虫は葉を暴食するチュウレンジハバチなどに注意し、防除する。

植えつけ　秋冬期から早春にかけて行う。鉢植えの用土は水はけさえよければ、とくに選ばない。

施肥　地植えでは施さない。鉢植えでは少量を。

剪定　実がついた枝、伸びすぎた枝を冬期に切り、新しい枝と更新する。

ふやし方　三月、二〇センチ程度の前年枝を庭土に直《じか》挿しする。

梅花空木《ばいかうつぎ》

アジサイ科バイカウツギ属の落葉低木

木本

本州～九州までの山野や林縁に生える。日当たりがよく、水はけのよい肥沃《ひよく》地を好むが、半日陰にも耐える。

底紅のベル・エトワールなどの交雑園芸種も流通があり、芳香のある庭木として好まれている。

植えつけ　厳寒期を除く冬期に行うが、鉢苗はいつでも植えつけができる。地植えにも鉢植えにもできる。

鉢栽培は三〇センチ以上の鉢が栽培しやすい。

施肥　二月頃、油粕《あぶらかす》、緩効性《かんこうせい》化成肥料などを施す。

剪定　花後、古い枝を間引くように元から切り除く。

ふやし方　半日陰で五～六月に緑枝挿し、露地で二～三月に休眠挿しができる。

白丁花《はくちょうげ》

木本

アカネ科ハクチョウゲ属の半常緑低木

暖地性の木で、寒冷地では落葉する。半日以上日が当たり、排水のよい場所を好む。

植えつけ　植えつけ、移植は容易で、四～九月の気温が高いときに行うとよい。鉢栽培も容易である。

施肥　刈り込み時に化成肥料などを控えめに施す。

剪定　刈り込み、剪定は三月と、六月の花後および九月に行う。枝の伸びがよいので、生育に応じて剪定するとよい。

ふやし方　挿し木がよく、梅雨どきに行うと容易。

浜茄子《はまなす》

木本

バラ科バラ属の落葉低木

別名浜梨《はまなし》。陽地を好み、寒冷地の海岸の砂地や湿原に自生するなど、丈夫で樹勢は強い。火山灰土壌の肥沃な庭では地下茎で広がり、雑草化しやすく、扱いにくくなる。

植えつけ　三月に。大鉢栽培するのが無難である。

施肥　三月に緩効性化成肥料を施す。地植えの場合は、植えつけ時以外は必要ない。

剪定　休眠期に切り戻し、細い枝を切り除く程度。前もって古い枝や混み枝を根元から切り除いておく。

ふやし方　三月に株分け、根挿し、挿し木ができる。

一葉桍《ひとつばたご》

木本

モクセイ科ヒトツバタゴ属の落葉高木

流通が多いのはアメリカ一葉桍。落葉高木で一メートルくらいの若木のうちから花をつける。日当たりのよい肥沃地《ひよくち》を好む。鉢植えは花がよくつくアメリカ一葉桍を植えたい。

植えつけ　落葉期が適期。流通しているポット苗は時期を問わない。

施肥　肥料は三月と九月に少量施す。地植えの成木では必要ない。

剪定　あまり行わない。大きくなりすぎた枝を花後に切り戻す程度。

ふやし方　五月下旬～六月上旬の密閉挿しによる。

未央柳《びようやなぎ》

木本

オトギリソウ科オトギリソウ属の半常緑低木

日当たりがよく肥沃な適潤地を好むが、半日陰にも耐える。

植えつけ　厳寒期を除く十一月から三月に行う。地植えにも鉢植えにもできる。鉢植えの場合は、毎年三月の刈り込み時に一回り大きい鉢に植え替えるか、根鉢を小さくして同じ鉢に植える。

施肥　三月と六月に緩効性《かんこうせい》化成肥料を施す。

剪定　大きくなりすぎた場合は花後か三月に刈り込む。春の芽吹きから開花までは剪定しないこと。

ふやし方　挿し木をすすめたい。三月と六月の花後に行う。

藤《ふじ》

マメ科フジ属の落葉蔓性木本

木本

日当たりを好み、光を求めて他の植物に登はん、覆う。粘質地では蔓の伸びが抑えられ、花芽がつきやすくなる。一般に、棚仕立て、立木仕立て。

植えつけ　落葉期が適期。鉢植えを地植えするのは時期を選ばない。鉢栽培では三月に根鉢を二センチほど切り、新しい土で植え替える。夏期、水切れで葉を傷めると花つきが悪くなるので、水受け皿を鉢の下に置く。

施肥　地植えでは必要ない。鉢植えは三月と九月に。

剪定　落葉期、花芽を見極めて切る。夏期、絡《から》みつく蔓先は伸びしだい切る。垂れ下がる蔓は秋まで放置。

ふやし方　実生《みしょう》台に接ぎ木。六月に挿し木ができる。

富貴草《ふっきそう》

ツゲ科フッキソウ属の常緑小低木

木本

温帯の樹林下に自生する。水はけのよい日陰を好み、とくに土質を選ばない。

日なたでは葉が黄化し生育が悪いので栽培に適さない。半日陰地での鉢栽培は容易。

植えつけ　ポット苗が流通するので植えつけは周年可能だが、厳寒期と盛夏は除いたほうが無難。

施肥　植えつけ初年以外はとくに必要ない。

剪定　必要ない。二〇～三〇センチ立ち上がっては倒れ、匍匐《ほふく》する。

ふやし方　株分け、または五～九月に固まったばかりの枝先を挿し木する。

紅満天星《べにどうだん》

ツツジ科ドウダンツツジ属の落葉低木

木本

午後は日陰になる、水はけがよく有機質の多い、肥沃《ひよく》な適潤地を好む。

植えつけ　落葉期が適期。鉢植えは鹿沼土に水苔を一割混入した用土が栽培しやすい。病害虫はあまりない。

施肥　肥料は春期に化成肥料を少量施す。

剪定　ほとんどしない。大きくなりすぎた場合は、小枝があるところまで切り戻す。花殻《はながら》は摘む。

ふやし方　五月に挿し木でふやす。

木槿《むくげ》

アオイ科フヨウ属の落葉低木

木本

日当たりがよく、肥沃な適潤地を好む。土質が豊かで水分が十分にあると生育が遅くまで続き、開花期間が長くなる。

植えつけ　落葉期に行う。鉢苗であれば周年時期を問わない。鉢植えにもできるが、用土はとくに選ばない。

施肥　肥料は鶏糞《けいふん》を冬に、緩効性《かんこうせい》化成肥料を三月、六月、八月に施す。肥料の効率をよくするためには水分補給が大事になる。とくに盛夏期の水やりは、開花期間を長くするために十分に行う。

剪定　落葉期に行い、どのように切ってもよい。春の芽生えから開花までは切らないことが大切。果実をつけると花蕾《からい》の再生に影響するので、膨らみしだいもぎ取るようにする。

病害虫は新芽時にワタアブラムシ、葉を食害するワタノメイガなどがあり、早めに捕殺するか殺虫剤で防除する。

ふやし方　三月、休眠枝を路地挿しするのが最も容易。挿し木した年の九月末に花が咲く。

花◎白木槿《しろむくげ》
花入◎粉引《こひき》四方《よほう》鉢
敷板◎黒塗半板
花を入れる人◎武内範男

山法師《やまぼうし》

ミズキ科ミズキ属の落葉高木

木本

水はけがよく、日当たりのよい肥沃な場所を好む。とくに紅花品種は日当たりのよいところで育つと発色がよい。鉢植えにもできる。鉢植えの場合は倒れない工夫が必要だが、地植えよりも花つきは早い。

植えつけ　落葉期に行う。

施肥　肥料は成木では必要ない。鉢植えは春に。

剪定　剪定はしないほうが樹形はよいが、必要に応じて短い枝まで切り戻す。枝の途中の剪定や強剪定は樹形を乱すので控えたい。

ふやし方　ふやすのは実生《みしょう》、または五～六月の密閉挿し、接ぎ木による。

白色、底紅の木槿

紅色、八重の木槿

紅色、底紅の木槿

甘野老 あまどころ

草本

多年生草本　キジカクシ科

明るい林床《りんしょう》に生える。地中に太さ六～七ミリの地下茎をもち、地下茎の先端に新しい芽を作る。ここから翌年、芽が出る。鉢植えでは何本も茎が立つようにしないと寂しい。

　丈夫で作りやすく、栽培は容易。半日陰で育て、とくに夏の強い日射しを避ける。水やりは乾いたらやる程度だが、強く乾かさないこと。耐寒力はあるが、霜や北風が強く当たるところには置かないほうがよい。

植えつけ・植え替え　三月、または九月末。

用土　赤玉土に二割くらいの腐葉土を混ぜる。

ふやし方　地下茎の株分けで。

靫草 うつぼぐさ

草本

多年生草本　シソ科

日当たりを好む丈夫な草で、栽培もやさしい。比較的地味な草なので、どう見せるか、栽培者の感性が問われる草といえる。水やりは乾いたらやる程度。

用土　赤玉土に二割くらいの腐葉土を加えたもの。これに矢作砂《やはぎ》を加えると水はけがよくなり、締まった草姿になるので、好みで土を合わせる。

ふやし方　春立ち上がった茎に花が咲き、花の咲いた茎は夏には枯れるが、遊走枝（ランナー）が出てその先に新しい芽が作られ、これが根づいて新しい個体になる。種をまいてふやすときは、種は秋に採りまきにする。

浦島草《うらしまそう》

多年生草本　サトイモ科

草本

葉柄《ようへい》には黒褐色の縞模様があり、黒紫色の仏炎苞《ぶつえんほう》からは付属体が細長く伸び、なんとも怪しい雰囲気をもつ草である。秋には棍棒《こんぼう》状の肉穂《にくすい》につく実が、つやのある赤色で目立つ。

球根やポット苗が入手しやすく、やや湿りけの多い日陰で作ると、地植え、鉢植えともに育てやすい。耐寒性もある。水やりは乾いたらやる程度。

植えつけ　早春。

用土　一般園芸用土を用いる。

ふやし方　栽培しているうちに少し株がふえるが、たくさんふやしたいときは種をまく。雌雄異株であることに注意。

小車《おぐるま》

多年生草本　キク科

草本

田の縁など湿りけの強いところに生えるが、冬田の水を落とすようになって出会うことが少なくなった。高さ六〇～八〇センチくらいになり、直径三センチくらいの黄色い菊のような花を頂部にまとめて咲かせる。

鉢植えでは日当たりのよいところに置き、水やりを多くすれば、容易に育つ。

用土　とくに選ばない。

ふやし方　地下茎を伸ばし、盛んに繁殖するので、早春にその地下茎の先端の芽の部分を移植する。種でふやすこともできる。種は秋、または三月に採りまきにする。

苧環《おだまき》

多年生草本　キンポウゲ科

草本

普通に作られている苧環は園芸的に作られたもので、そのもとになったのは深山《みやま》苧環ではないかと考えられている。ただし、鉢栽培にはもとの深山苧環のほうが適する。栽培は容易である。水やりは乾いたらやる程度。

植えつけ・植え替え　日なたで水はけよく植えつける。植え替え、株分けは三月の発芽前に行う。

用土　赤玉土のみ。または一～二割の腐葉土、あるいは矢作砂《やはぎ》を混ぜてもよく、矢作砂を加えると草姿が締まったものになる。

ふやし方　株を裂くと腐りやすいので、株分けでは三分割くらいに。種は七月以前にまけば翌年に花が咲く。

苧環

唐糸草《からいとそう》

多年生草本　バラ科

草本

高山性の大型の草である。どちらかといえば庭向きの植物だが、鉢やプランターでも育てることができる。

　日当たりのよいところで育てることが必須条件。下の葉から枯れてくるのを防ぐため、風通しがよいことも大切である。蒸らさないように注意もしたいところ。

用土　鉢植えの場合は水はけがよく、腐植に富む土を用いる。

ふやし方　ふやすのは株分けによる。地下に太い根が横に這《は》っていて、冬の間に根の先端に芽が作られる。芽の数がふえれば根を裂くように分けることができるが、繁殖率は悪い。株分けは芽立ち前の早春に行う。

唐松草《からまつそう》

多年生草本　キンポウゲ科

草本

唐松草、紫錦《しきん》唐松、秋《あき》唐松いずれも一メートルほどの草丈になる大型の草で、地植えに向く。鉢で育てるなら小米《こごめ》唐松や小蓮葉《こはすば》唐松など小型のものが作りやすい。

　日当たりのよいところで育てるが、蒸れると下から枯れ上がるので、風通しを考慮する。肥料は慎む。水は唐松草、秋唐松は乾いたらやる程度。紫錦唐松は湿ったところに生えるので、地中の湿度は多めに保つ。

植え替え　鉢植えでは毎年の植え替えと、株割りが必要。植え替えないと下葉から腐りやすい。

用土　鉢の場合は赤玉土に二割程度の腐葉土を混ぜる。

ふやし方　早秋、株分けによる。

唐松草

花◎岩菲《がんぴ》　河原撫子《かわらなでしこ》　水引《みずひき》
花入◎青磁《せいじ》馬上盃《ばじょうはい》
花を入れる人◎武内範男

岩菲・仙翁

がんぴ・せんのう

草本

多年生草本　ナデシコ科

岩菲、仙翁ともかなり昔に中国から渡来したとされているが、松本仙翁、節黒《ふしぐろ》仙翁は日本で自生が確認されている。

信州や東北の古い家にはよく見られる一方、都市化したところではほとんど見られない。環境が育てにくくしているのであろう。腐植が多い土質で風通しがよいところを好む。

草丈が高くなるので地植えが適するが、プランターなどでも栽培できる。日なたで育て、プランターなどでは一日一回水やりする。

植えつけ・植え替え　早春。株分けもこの時期に行う。

用土　腐植の多い土を用いる。

ふやし方　株分けしてふやすことができるが、挿し芽、挿し木でもよくつくので、この方法で株を更新したほうがよい。

松本仙翁

燕尾《えんび》仙翁

千手岩菲

黄菅《きすげ》

草本

多年生草本　ワスレグサ科

夕菅《ゆうすげ》の別名。黄菅の名では日光黄菅が知られる。基本的には萱草《かんぞう》と同じだが、自生地が夏涼しいところなので、平地では草勢がそれだけ弱い。しかし草丈は低くなるので、その分、鉢作りしやすいといえる。

午前中いっぱいは日がよく当たるような場所がよく、逆に西日を避ける。同時に風通しをはかり、夕方には周りに水を打つなど、湿度を上げて涼しくする工夫を。

六月以降、サビ病が出やすいので注意し、兆候が見えたら殺菌剤を早めに散布する。

用土　桐生《きりゅう》砂などの砂を多くして、水はけをよくし、水を多くやる。

小葉擬宝珠

擬宝珠《ぎぼうし》

草本

多年生草本　キジカクシ科

大きな冬芽をもつ観葉植物的宿根草。分類の仕方によってたくさんの種類に分けられるが、いずれも似たような性質をもつので、育て方は共通する。

苗の入手、栽培とも容易で、光線のやや弱い、湿りけの多い場所で作ればよくできる。小型種は鉢植えに向くが、大型種は地植えする。

筋《すじ》擬宝珠など斑《ふ》入り種は、夏の直射日光では斑の部分が日焼けするので、半日陰にする。

植えつけ・植え替え　三月に行う。

用土　鉢植えでは山砂を多用して、水やりを多くする。

ふやし方　種でもよいが、株分けでふやすほうが手軽。

京鹿子《きょうがのこ》

草本

多年生草本　バラ科

普通は地植えにする草で、環境がよいと大株になる。鉢植えでも育つが、大きめの鉢を使わないと、いじけて花が咲かなくなる。

日当たりのよいほうがよく育つが、空中の湿度が高いのを好むやや軟らかい植物なので、風の強いところは適さない。水やりは乾いたらやるくらいでよい。ウドンコ病が出やすいので注意し、初期に防除する。

植えつけ　まだ芽が出ない春のうちに行う。地中には木化した堅い根茎があり、これを割るようにして株分けし、植えつける。

ふやし方　株分けでふやす。

金鳳花《きんぽうげ》

草本

多年生草本　キンポウゲ科

金鳳花＝馬の足形とする場合と、馬の足形の重弁《じゅうべん》をいうという説とがある。

水を切らさないことと、よく日に当てるということだけを注意すれば鉢やプランターでの栽培も簡単。

よく似た仲間に「狐の牡丹《ぼたん》」がある。田んぼの草で、こちらは越年生多年草。種を採りまきすると秋には発芽して、葉のある状態で冬を越す。

植えつけ　遊走枝（ランナー）の先に子株を作るので、秋にその子株を植えつける。

用土　水もちのよいやや重いものであれば何でもよい。

馬の足形

金鈴花《きんれいか》

草本

多年生草本　スイカズラ科

金鈴花＝白山女郎花《はくさんおみなえし》とする説と、金鈴花を変種とする説とがある。小金鈴花はこれの小型変種。

風通しのよいところで育てることが大切。夏の暑さを嫌うが、日当たりのよいところで育てる。

植えつけ・植え替え　早春に行う。

用土　水はけを重視した用土で植えつけ、水は十分にやる。水はけのよい土の例として、矢作《やはぎ》砂・鹿沼土・赤玉土の等量混合がある。腐葉土を二割ほど混入したほうがよく育つが、熱帯夜が続くようなところでは失敗しやすいので、環境によって選択する。

ふやし方　株分けで。早春、植え替えの際に行う。

草の黄《くさのおう》

草本

越年生草本　ケシ科

本来日なたを好むので、日当たりをよくし、肥料をやるとしっかりとした株に育つが、風情を欠く。むしろ日当たりを弱めて作ったほうが風情ある姿になる。

植えつけ・植え替え　移植する必要がある場合は、ポットに種をまいて苗を作るが、原則として移植を嫌う。鉢植えの場合はやや深めの鉢で植えつける。

用土　鉢植えでは通気性のよい用土を使う。

ふやし方　初夏に種ができるので、採りまきすれば春に発芽する。早秋にまいてもよい。自然に種がこぼれても芽が出てくる。越年草なのでこぼれ種で生えてくるように、その場所は耕さないようにするとよい。

草藤《くさふじ》

草本

多年生蔓性草本　マメ科

丈夫な草だが、鉢での栽培には向かず、やや湿りけのあるところに地植えすることをすすめる。長い地下茎をもっていて、いろいろなところから芽を出す。

　蔓が丈夫で、かなり長く伸びるので、蔓を登らせる場所を考えておくこと。

用土　土はとくに選ばず、一般園芸用土で十分。ただ、水に対する要求度はかなり高いので、土があまり乾かないように注意すること。

ふやし方　種をまくか、芽が出る前に地下茎の先にある芽を、地下茎ごと移植するとよい。種を採りまきすると翌春発芽する。

黒百合《くろゆり》

草本

多年生草本　ユリ科

本州の高山にあるものと、北海道にあるものとがあり、色合いその他がかなり違うが、普通手に入りやすいのは北海道のもの。

　空中湿度を高めに、涼しく管理する。冬は凍らせないように管理し、強く土を乾かさないようにときどき水をやる。

植えつけ・植え替え　ともに十月。植え替えは毎年行う。植えっぱなしにすると鱗片がばらばらになりやすい。球根は鱗片が剝《は》がれやすく、取り扱いに注意する。

用土　赤玉土・腐葉土・ピートモスを七・二・一程度で混合する。

下野草《しもつけそう》

多年生草本　バラ科

草本

谷風の通る山地のやや開けたところなどで見られる。

空気の湿りけがあるところがよく、都会化して空気の乾くところでは栽培しにくい。鉢植えの場合は半日陰に置き、水やりは乾いたらやる程度。

ウドンコ病にかかりやすいので、発生初期に必ず防除する。

用土　有機質の多い土を用いる。

ふやし方　株分けで、春の芽立ち前に行う。

芍薬《しゃくやく》

多年生草本　ボタン科

草本

大型の草花で、良い花を咲かせるには七〇センチを超えるくらいに育つように管理する。基本的には日当たりのよいところに地植えするが、鉢植えの場合は大鉢を用い、水やりは表面が乾いたらやるくらいにする。

一本の茎の先端に三、四個の蕾《つぼみ》がつくので、これが一円玉硬貨くらいになった時点で中心の良い蕾を一個残し、他を摘み取る。花を切るときは、翌年のために葉が半分以上残るようにすること。

植え替え　九月下旬。花どきの植え替えは禁物である。

用土　やや重めの腐食に富む土を用いる。

ふやし方　株分けでふやす。

菖蒲《しょうぶ》

草本

多年生草本　アヤメ科

杜若《かきつばた》は水路の縁など、必ず根元が水の中にある沼地性植物。花菖蒲は野花菖蒲の改良種で、水陸両生型。田んぼ状態でもよく育ち、畑でも花が咲く前から水を多く与えれば立派に咲く。黄菖蒲はきわめて丈夫な性質で、水辺でも乾燥地でも育つ。綾目《あやめ》は草原に生える植物で、水辺には生えない。

　いずれも日当たりのよいところに植え、水やりを十二分にする。杜若以外は鉢植えもできる。

　別に多年草ショウブ科の菖蒲があり、こちらが本当の菖蒲。菖蒲湯に使うのがこれである。

植えつけ・植え替え　鉢植えでは、田土を用いて植え、毎年植え替えをする。

用土　田土を用いる。

ふやし方　花の直後に株分けする。今年花茎を上げた地下茎の両脇に来年のための芽が伸びているので、これらを三〜数芽の固まりで分け、すぐに植えつける。一度花茎を出した地下茎は二度と咲かないので、株分けのときはその点に注意する。

花◎杜若《かきつばた》
花入◎木地釣瓶《きじつるべ》
花を入れる人◎武内範男

綾目

綾目

野花菖蒲

升麻《しょうま》

草本

多年生草本　キンポウゲ科（晒菜升麻・蓮華升麻）
ユキノシタ科（鳥足升麻）

鳥足《とりあし》升麻と晒菜《さらしな》升麻は明るめの林床《りんしょう》や草原で見られる。蓮華《れんげ》升麻はかなり暗い林床の植物。

晒菜升麻、鳥足升麻は五月半ばまでは日なたで育てる。それ以降は半日陰。

蓮華升麻は四月中は日なたで育て、五月中は半日陰に。それ以降はかなり暑がるので暗めに日を覆う。とくに蓮華升麻は空中湿度をいかに保つかがポイントとなる。高温期は湿度を高くし、涼しく保って水やりは控えめにする。冬に凍らせると芽が腐るので、地上部が枯れたら増し土をして、霜の降りないところへ移す。

植えつけ・植え替え　植えつけは早春の芽立ち前に行い、この時期に毎年植え替えもする。

用土　赤玉土・腐葉土・矢作《やはぎ》砂を六・二・二くらいの割合で混ぜる。

ふやし方　いずれも株分け、実生《みしょう》でふやせるが、蓮華升麻は実生、鳥足升麻は株分けがよい。

花◎蓮華《れんげ》升麻《しょうま》
花入◎大正ガラス蓋付小鉢
花を入れる人◎小川良子

鳥足升麻

晒菜升麻

蓮華升麻

白糸草《しらいとそう》

草本

多年生常緑性草本　シュロソウ科

木漏れ日がちらちらと当たるような山地に生える。地植えは環境を作るのがむずかしいので、鉢植えをすすめる。

春の初めは日なたに置き、春の彼岸を過ぎたら半日陰で育てる。日が当たると葉を焼いてしまう。また冬、霜に当てないように気をつける。土の表面が乾かないように水やりする。

植えつけ　花後の秋に。

ふやし方　株分け、または実生《みしょう》で採りまきする。

白根葵《しらねあおい》

草本

多年生草本　キンポウゲ科

地植えはむずかしく、大きめの鉢で水はけよく植え、水を切らさずやることが大切。ちらちら日が漏れるくらいのところに置き、気温が高くなってきたら日陰で育てる。夏いかに涼しく、やわらかい空気の流れを確保できるかがポイントとなる。

植えつけ・植え替え　芽立ち前の早春。

用土　鹿沼土などを主体に水もち、水はけのよい用土を使う。

ふやし方　株分けで。根茎の先端や少し下がったところに芽ができ、これがしだいに枝分かれするので、容易に分けることができる。

紫蘭《しらん》

多年生草本　ラン科

草本

日本に自生する蘭のなかでも栽培上、最も丈夫なグループに入る。草丈が三〇〜五〇センチになるので、どちらかといえば地植えかプランター向き、鉢植えには姫性の紫蘭が向く。

　半日くらい日の当たる、あまり乾かない場所で育て、真夏は半日陰にする。丸く扁平《へんぺい》な茎はつながっていて、冬に地上部が枯れてもこの丸い茎は枯れない。

植えつけ・植え替え　地上部が枯れている間に行い、地下茎を三センチくらいの深さに植える。

用土　有機質に富んだ軟らかめの土が適する。

ふやし方　株分けで。

睡蓮《すいれん》

多年生草本　スイレン科

草本

沼に生える水生植物。根に球根（塊茎）をもつ。

　日当たりのよいところで育てるとよく花が咲く。鉢を掃除し、毎日水を替え、常に水をきれいに保つことが大切。肥料は緩効性《かんこうせい》のコーティング肥料を五グラムほど用土に混ぜて植えるとよい。

植えつけ・植え替え　芽立ち前の四月。球根の芽を地表に出して植え、その鉢を水面下三センチくらいになるように水の中に置く。葉が伸びてきたら、少し水を深くする。植え替えでは八頭《やつがしら》のように親根の周りに子がつくので、これを分けて植える。親も使う。

用土　田土や荒木田土《あらきだつち》。

鈴蘭《すずらん》

多年生草本　キジカクシ科

草本

普通関東などで鈴蘭として売られているものはドイツ鈴蘭であることが多い。ドイツ鈴蘭のほうが花茎が高く伸び、全体に大きく元気なので好まれている。

　鉢での維持は大きな鉢を使わないとむずかしい。半日陰の樹下などに地植えすれば、とくに手入れをしなくても長年維持できる。あまり液肥を施さないこと。水やりは乾いたらやる程度とする。

植えつけ　冬に地上部が枯れ、立派な冬芽ができるので、この状態のものを手に入れ、植えつける。

用土　一般的な園芸用土でよい。

先代萩《せんだいはぎ》

多年生草本　マメ科

草本

千代萩とも。かなり大型の草本で、観賞上は鉢植えのほうが適すると思うが、鉢栽培では十分に液肥を与えないと花がつかないという欠点がある。

植えつけ　地植えで液肥を与えて良い芽を作らせ、早春、鉢に取るとよく咲かせることができる。

用土　鉢植えには赤玉土（小粒）・腐葉土・矢作《やはぎ》砂を六・二・二くらいの割合で混ぜる。水やりを多めにし、日なたで育てるが、夏は風通しよく、なるべく涼しい状態が望ましい。

ふやし方　株分け、種でふやすことができる。

茅萱《ちがや》

多年生草本　イネ科

草本

きわめて丈夫で、開けた痩《や》せ地に群生する。日なたに地植えすると庭中にはびこって困ることになるので、どちらかというと鉢植え向き。野生のものを掘ってくると、初めのうちは管理がむずかしいこともあり、鉢やポットで作られた苗を購入するほうがよい。

日当たりがよいことは必須条件で、水やりは乾いたらやる程度でよい。肥料を多く与えないこと。

植えつけ　三月。

用土　一般的な培養土。

ふやし方　種の採りまきで。

丁字草《ちょうじそう》

多年生草本　キョウチクトウ科

草本

比較的大型の草で、水はけのよい場所で水をよくかけて育てる。このため庭での栽培ではほかの植物がいやがるので、鉢またはプランター栽培に向く。鉢植えで締めて作れば二〇センチくらいの草丈に作れるので、鉢栽培のほうをおすすめしたい

日当たりのよい条件で作れば育てやすい植物である。

植えつけ　芽立ち前の早春。

用土　排水性のよい用土に三割近い腐葉土を混ぜて用いる。

ふやし方　横に這《は》う地下茎の先に芽をもっていて、この芽を株分けしてふやす。

鉄線

鉄線《てっせん》

草本

多年生蔓性草本　キンポウゲ科

クレマチス属の花たちをクレマチスと呼び、そのなかの一つの種に鉄線がある。したがって、クレマチス＝鉄線は間違いである。

蔓性なので蔓を巻きつけるものが必須となる。根が長く、この根を切られることを嫌うことから、深鉢を使う。地上部が急に枯れることがよくあるが、その後、地中の茎から芽が出て復活することが多いので、必ず二節以上が地中に入るように深植えする。

クレマチス、風車も同様に育てる。

用土　赤玉土・腐葉土・堆肥を七・二・一の割合で。

剪定　花後は剪定《せんてい》をするが、種類により差異はあるものの、おおむね元気な葉のところ（その春に伸びた部分の半分くらいのところ）で切っておく。また蔓先が伸びて咲くこともある。冬を前に、前年に伸びた蔓にできる芽の中に蕾《つぼみ》ができるタイプのものは、その芽を切り捨てないように注意する。

ふやし方　挿し木による。通常六月挿し。

花◎鉄線《てっせん》　縞葦《しまあし》
花入◎唐物《からもの》木《き》耳籠《みみかご》花入
花を入れる人◎武内範男

クレマチス（江戸紫）

クレマチス（ネリーモーザ）

クレマチス（マダムバンホーテ）

朱鷺草《ときそう》

草本

多年生草本　ラン科

普通水苔だけで栽培する。

霜や氷が張らなくなったら、なるべく早く屋外に出し、日に当てる。浅い鉢皿を置き、灌水《かんすい》した水が溜まるようにする。夕方ほぼなくなる程度がよい。

植えつけ・植え替え　三月。細い地下茎のところどころに冬芽を作るので、この芽を寸断しないよう、できるだけ長く連なったまま、芽が適当な間隔になるように水苔で植えつける。

栃葉人参
とちばにんじん

草本

多年生草本　ウコギ科

涼しい林床《りんしょう》に生える大型の草で、ポット苗も時折流通する。夏に赤い実がなるので、花よりはこれを目的に栽培することが多い。地植え向きの植物だが、鉢作りでは八号以上の鉢に植えつける。

初めは日なたで育て、四月から半日陰に、夏はかなり強く遮光《しゃこう》をする。湿りけを含んだ緩い空気の流れがあることが望ましいが、そうした栽培の環境を作るのは、都市化したところではやや困難と思われる。水やりは、表面が乾いたら水をやる。

用土　水はけのよい用土に腐葉土をやや多めに混ぜ合わせる。

虎の尾
とらのお

草本

多年生草本　サクラソウ科（岡虎の尾・沼虎の尾）
多年生草本　オオバコ科（山虎の尾）

岡虎の尾は開けた北側斜面や、明るい林床《りんしょう》に生える。沼虎の尾は日当たりのよい沼地に、山虎の尾は日当たりのよい草原などに生える。いずれも日当たりのよいところで育てるが、岡虎の尾は梅雨明け以降、少し日をさえぎったほうがよい。また沼虎の尾は湿地の植物なので浅い腰水とし、ほかは一日一回の水やりをする。

用土　山虎の尾、岡虎の尾は赤玉土・腐葉土・桐生《きりゅう》砂を六・二・二の割合で混ぜ、沼虎の尾は田土を用いる。

ふやし方　いずれも株分けで、芽立ち前の早春に行う。岡虎の尾、沼虎の尾は実生《みしょう》もよく生える。

岡虎の尾

鳴子百合《なるこゆり》

多年生草本　キジカクシ科

草本

栽培も苗の入手も容易。丈夫で作りやすい。地植えでも光の量が適当であれば簡単に栽培できるが、鉢植えのほうが管理しやすい。

　初めは日なたで育て、四月半ば以降は半日陰とし、夏は風通しと灌水《かんすい》に注意する。強く乾かさないことが肝心。梅雨明け以後、ハダニに注意する。

植え替え　秋遅くに植え替える。この頃は芽がすでにできているので、この芽を傷つけないように注意し、三芽程度を一つの固まりとして植えつける。

用土　赤玉土に三割程度の腐葉土を混ぜる。

捩花《ねじばな》

多年生草本　ラン科

草本

日当たりのよいところで作れば、きわめて作りやすいラン科植物である。ただし、一つの個体の寿命はあまり長くないように思われる。

植えつけ・植え替え　用土を鉢に入れ、捩花の近くに置いて種を自然に飛ばし、これを普通の鉢物と同様に水やり管理していれば自然に生えてくる。植え替えは地上部がない早春。太く軟らかい根が数本しかないので、根を傷めないように十分に気をつけて植え替える。

用土　赤玉土（小粒）に一割くらいの腐葉土を混ぜたものを用いる。

野薊《のあざみ》

草本

多年生草本　キク科

地植えにも鉢植えにもできる。入手は苗の購入が簡単。

鉢植えでは、鉢は深めのものを用い、日当たりのよいところで育てる。水やりは表面の土が乾いたらやる程度でよい。害虫防除はアブラムシに注意する程度。

単に薊という場合、アザミ属のいろいろなものが含まれるが、普通は改良された園芸品種を指すことが多い。いずれも野薊と同様に扱う。

用土　一般園芸用土でよい。

ふやし方　多年草ではあるが、普通は種をまいてふやす。株の寿命が長くないので、二、三年周期くらいで種をまいて後継の苗を作っておくとよい。

蓮《はす》

多年生草本　スイレン科

草本

大型の湿性植物で姿を整えるのがむずかしい植物。育てるのは花蓮に限る。食用蓮は根が大きすぎて蓮田でなければ栽培できない。普通の家庭で育てるのであれば、小型の「茶碗蓮」のほうをすすめたい。

日当たりのよいところで育て、常時五センチくらい水を張っておく。朝新しい水を流し入れて水を替え、いつも水を汚さないようにする。アブラムシがつきやすく、つくと弱るので、見つけたらすぐに手で取り除く。

植えつけ　三月。田土を使って大型の睡蓮鉢に植える。

用土　田土を用いる。

ふやし方　植え替え時に根茎を分けてふやす。

花◎蓮《はす》
花入◎経筒《きょうづつ》　薄板◎真塗《しんぬり》矢《や》筈《はず》
花を入れる人◎小林 厚

半夏生《はんげしょう》

草本

多年生草本　ドクダミ科

水辺の草。用水の縁や山裾の湿地などに生える。繁殖力は旺盛。

溜まり水で水が腐ると草も枯れるので、朝新しい水をたくさん入れてオーバーフローさせ、いつも水をあまり汚さないようにする。日なたで育てるが、夏は水に日が当たらない工夫がほしい。

植えつけ・株分け　芽立ち前。瓶など底穴のない鉢に田土で植えつけ、三センチほど水を張っておくか、六～八号の鉢に田土で植えつけて、睡蓮鉢などに張った水の中に沈める。

株分けは、地中の長い根茎のところどころにある芽を分ける。

用土　田土を用いる。

ふやし方　株分けで。

花◎仙翁《せんのう》　半夏生《はんげしょう》
花入◎信楽蹲《しがらきうずくまる》
花を入れる人◎小林 厚

半鐘蔓《はんしょうづる》

多年生蔓性草本　キンポウゲ科

草本

鉢植えができる。蔓がたいへん折れやすいので、行灯《あんどん》などの支柱を初めから十分考えておくことが大切。

日なたで育てるが、五月以降の強い日射しは葉を焼くので、半日陰とする。さらに夏の乾燥は枝枯れを起こすので注意が必要。水やりは乾いたらやる程度。

剪定《せんてい》は、蔓の葉腋《ようえき》に作られた芽の大きさをよく見て花がないと確信できるところを剪定。蔓は木化する。

植えつけ　春秋の彼岸頃。根が長く、切られることを嫌うので、深めの鉢を使うとよい。

用土　赤玉土・腐葉土・矢作《やはぎ》砂を七・二・一程度の割合で。

ふやし方　挿し木による。

未草《ひつじぐさ》

多年生草本　スイレン科

草本

浅い水の沼に生える草で、日本に自生する睡蓮の一種。

睡蓮鉢に水を張り、水深三センチくらいになるように植えつけた鉢を置く。芽が伸びてきたら少しずつ沈めて水深五センチくらいとする。この睡蓮鉢を日当りのよいところに置く。

肥料は大型の煮干しを土に差し込む。水は減ったら足し、濁ってきたら交換する。

植えつけ・植え替え　春に行う。五～六号の鉢に田土で植えつける。株分けもこのときに。直径三センチくらいの球形の球根をもち、この球根の頂部に芽が見えるので、これが土の表面に出るようにする。

一人静《ひとりしずか》

草本

多年生草本　センリョウ科

林や草原に見られる山草で、栽培は容易である。日なたで育て、日が強くなったら、半日陰とする。水やりは乾いたらやる程度とする。

産地によって少しずつ形態に違いがあり、吉備《きび》の一人静が秀逸である。

植えつけ　芽立ち前の早春。

用土　赤玉土に二割程度の腐葉土を混ぜる。

ふやし方　株分けで。地中に多数の根が生えたごく短い地下茎があり、それに芽が作られているので、その芽を割るように分け、浅く植えつける。

姫沙参《ひめしゃじん》

草本

多年生草本　キキョウ科

高山性で暑がるので、とくに水はけをよくし、大作りをせずに一〇～一五センチくらいに作る。普通に育つと草丈は二〇～五〇センチになる。

鉢は素焼きの長鉢がよい。五月までは日なたで育て、暑くなってからは半日陰とする。水やりは朝一回。夏場、どれだけ夜間を涼しくできるかが鍵。空中湿度を高く保つ工夫をする。水切れを起こさせないことも大切。

用土　上質の赤玉土・矢作砂《やはぎ》・鹿沼土を等量で混ぜる。

ふやし方　株分けがよい。三月初めに芽と根の状況をよく見てカッターナイフなどで切り分け、植えつける。

姫檜扇水仙《ひめひおうぎずいせん》

草本

多年生草本　アヤメ科

たいへん丈夫な球根植物。モントブレチアと呼ばれることのほうが多い。

地植えにも鉢植えにもできる。鉢植えでは十号くらいの大鉢を使うとよい。日当たりのよいところで育てると花つきがよく、色も濃くなる。水やりは、土が乾いたらやる。

植えつけ・植え替え　普通三〜四月といわれているが、いつでも可能。地植えでは三年くらいの間隔で掘り上げ、植え直したほうがよい。鉢植えでは二年に一度植え替える。

用土　一般園芸用土でよい。

昼咲月見草《ひるざきつきみそう》

草本

越年生一年草　アカバナ科

条件によっては多年草になるが、普通は一年草扱いをする。六月末頃までに種をまけば、翌年は開花する。秋まきでは翌年は開花せず、その翌年の開花になる。

地植えも鉢植えもできる。肥料が多いと倒れやすくなるので控えめに。元肥にリン酸肥料を多めに施す。鉢作りでは八号以上の鉢を。植えつけ後は日当たりのよいところで育て、水やりは乾いたらやる程度とする。

植えつけ　移植を嫌うので直まきするか、ポットにまいて苗作りをする。あるいは平鉢などにまいて発芽直後にポットに取り、苗を作る。

用土　とくに選ばない。

花◎風船葛《ふうせんかずら》
花入◎竹一重切《たけいちじゅうぎり》花入　片桐石州作
花を入れる人◎小林 厚

草本

風船葛

ふうせんかずら
一年生蔓性草本　ムクロジ科

丈夫な蔓性植物。日当たりのよいところで育てる。蔓がよく張るので、伸ばす場所を考えておくとよい。

とくに病害虫はないが、ハダニが出ることがあり、出ると弱るので、発生初期に駆除するように注意する。また花つきが遅くなるため、肥料を多くしないようにする。

植えつけ　気温が十分上がる五月初めになって種をまくのがよい。直《じか》まきが原則。ポットにまくなら、長くおかず、早めに定植すること。

用土　一般園芸用土でよい。

ふやし方　種まきで。

風露草《ふうろそう》

多年生草本　フウロソウ科

草本

明るい山裾など日当たりのよいところに生える。

丈夫で作りやすい山草。日当たりのよいところで育て、水やりは乾いたらやる。液肥を割合に多く施す。冬は霜に当てないほうがよい。

植えつけ・植え替え　秋の彼岸頃。秋に植え替えそこねたら、翌春三月に植えることもできる。大きな株になると蒸れやすいので、植え替えるときにカッターナイフなどで幹から太い根まで縦に裂くように割り、あまり大株にしないようにする。

用土　赤玉土・桐生《きりゅう》砂を二対一くらいの割合で混ぜる。

ふやし方　株分け、または種を春にまいてふやす。

浅間風露

二人静《ふたりしずか》

多年生草本　センリョウ科

草本

地植えにも鉢植えにもできる。花が咲く頃まではよく日に当て、以後日が強くなるにしたがって遮光《しゃこう》を強くする。水は朝一回やる程度だが、夏に強く乾かすと葉が黒くなって極度に傷むので注意する。

植え替え・株分け　根が詰まると花が咲かなくなるので、毎年株を割ってあまり大株にならないようにする。

用土　鉢植えの場合、用土は赤玉土・腐葉土・桐生砂を六・二・二程度で合わせる。

ふやし方　株分けで、芽立ち前の早春に行うが、そのほか花後すぐの初夏、あるいは秋の彼岸頃といろいろなときに行うこともできる。

紅花《べにばな》

草本

越年生一年草　キク科

地植えに向く。関東以西では秋に種をまき、積雪地帯では雪解け直後にまく。

有機質に富む日当たりのよい場所を必要とする。水やりは一日一回程度。多肥にすると倒れやすくなるので肥料は控えめに。春からはやや乾きめに管理するように気をつける。

植えつけ　酸性を嫌うので、一平方メートルあたり三〇〜五〇グラムの石灰と、三キロくらいの堆肥を加えてよく耕し、一雨当ててから種をまく。移植を嫌うので直《じか》にまくが、都合によっては三号ポットに三粒ほどまき、なるべく早く植えつける。

宝鐸草《ほうちゃくそう》

草本

多年生草本　イヌサフラン科

明るい林床《りんしょう》に生える。甘野老《あまどころ》などに似た植物だが、枝分かれするのですぐに区別できる。

半日陰で育てるのがよく、夏の強い日射しは避ける。水やりは一日一回、乾いたらやるくらいに。耐寒力はあるが、霜や北風が強く当たるところには置かないようにする。

植えつけ・植え替え　芽立ち前の三月、または九月末。鉢植えでは、何本も茎が立つようにしないと寂しい。

用土　赤玉土に二割の腐葉土を混ぜたものを用いる。

ふやし方　地中に地下茎をもち、その先端に新しい芽を作る。この地下茎の芽を分けてふやす。

蛍袋《ほたるぶくろ》

草本

多年生草本　キキョウ科

地域差や個体差がたいへん大きい植物なので、花の大きさや色などをよく検討して、入手する。花の咲いている茎は花後に枯れて、翌年は咲かない。

日当たりのよいところで育て、水やりは乾かない程度に一日一回くらい。多肥栽培をすると大きくたくさん咲くが、風情が失われるので注意したい。

植えつけ　丈夫なのでいつでも植えつけなどはできるが、基本的には秋がよい。

用土　一般園芸用土でもよいが、山草的に締めて作るには赤玉土・腐葉土・矢作《やはぎ》砂（桐生《きりゅう》砂）を六・二・二程度の割合で合わせる。

ふやし方　花が咲いた茎の周りにある元気な芽子株を分けて育苗《いくびょう》する。

花◎蛍袋《ほたるぶくろ》　姫檜扇《ひめひおうぎ》　破《やぶ》れ傘《がさ》
花入◎手付籠
花を入れる人◎小川良子

禊萩《みそはぎ》

多年生草本　ミソハギ科

草本

沼地に近いような水分の多いところに生えるが、それほど水が多くなくても育てることはできる。鉢を浅めの腰水にすると水の管理が簡単だが、そこまでしなくても、日当たりのよいところであれば、毎朝きちんと水をやるだけで育つ。

一般には、よく似た蝦夷《えぞ》禊萩のほうが、普通に出回っている。

植えつけ・植え替え　春に行う。株分けも同時期に。

用土　田土に二割ほどの腐葉土を加えたものを用いる。

ふやし方　種または株分けで。

都忘れ《みやこわすれ》

多年生草本　キク科

草本

深山嫁菜《みやまよめな》の園芸種と考えられている。苗の購入、定植などは秋（時期を失した場合は早春）がよい。日当たりのよいところで育てる。

水やりは普通で一日一回を目安とするが、夏の間はやや乾きぎみに管理しないと病気が出やすい。

植えつけ　花が咲いた直後に株の周りの走出枝の先に新しい芽ができているので、この子苗を分け、ポットや苗床で育苗《いくびょう》し、秋に定植する。

用土　一般の園芸用土でよいが、排水性のよいものを使う。

ふやし方　株分けで。

紫露草《むらさきつゆくさ》

草本

多年生草本　ツユクサ科

庭先や道端などに見られる、きわめて丈夫な草。地植えのほうが適するが鉢、プランターでも育てられる。

　日当たりのよいところに置き、普通に水やりする。

植え替え　移植は普通早春だが、やむをえなければいつでも可能。

用土　一般園芸用土でよいが、そのなかでも水もちのよいもののほうがよい。ピートモスを一割くらい加えると簡単に水もちがよくなる。最初からピートモスを多く含む園芸用土の場合はそのまま用いる。

ふやし方　株分けで。

花◎浮釣木《うきつりぼく》　紫露草《むらさきつゆくさ》
花入◎あられ酒ガラス瓶
花を入れる人◎田中昭光

柳蘭《やなぎらん》

多年生草本　アカバナ科

草本

日当たりのよい水が浅く流れているような湿地や、山が崩れて新しい土がむき出しになったような、湿りけの多い場所に生える。

日当たりのよいところなら、地植えにも鉢植えにもできる。水やりは一日一回、たっぷりとやる。水が用土の中で入れ替わる必要があるので、そのつもりでたくさんやる。肥料はごく控えめにする。

用土　赤玉土のみの使用、あるいは水苔だけにする。

ふやし方　地下茎でふえるので早春に株分けする。春に挿し木でふやすこともできる。

藪茗荷《やぶみょうが》

多年生草本　ツユクサ科

草本

湿りけの強い、やや暗めの林床《りんしょう》に生える大型の草。したがって明るい日射しを嫌う。

日陰で育てることがポイントとなる。陽が強かったり乾いた風にあうと葉を巻き、弱る。水やりは普通でよいが、水切れに注意し、周りに木が多いところに置くなど、空中湿度を高めに保つようにする。

肥料を与えると大きくなるので、与えすぎないように注意すること。

用土　一般園芸用土でよい。

ふやし方　早春の株分けでふやす。種の採りまきでもふえるが、春に芽が出るものの、その年は咲かない。

破れ傘《やぶれがさ》

多年生草本　キク科

草本

身近な明るめの林床に見られる草。本来はかなり大型だが、栽培の目的によって大きさは調整できる。半日陰の場所で風通しをよくして育てると山草らしい風情に育つ。水やりも栽培目的により多くしたり、控えたりする。水を多くすれば大きく育つ。

用土　山草として小さく作るためには水はけのよい山砂で植え、大きく育てたければ普通の園芸用土を使う。

ふやし方　普通早春の株分けでふやすが、あまり数は取れない。多くふやしたい場合は種をまく。秋の採りまき、または三月に種をまく。

雪笹《ゆきざさ》

多年生草本　キジカクシ科

草本

林床に生える草で、割合に丈夫である。鉢植えにできるので半日陰で育て、夏は涼しくなるように配慮する。水やりは乾かない程度に。空中湿度が高く、やわらかい空気の流れがある環境で育てることが望ましい。

長い地下茎をもっていて、持ち込んだ鉢ではそれらが交錯し、芽もたくさん立つが、初めはまばらにしか生えない。

用土　普通、赤玉土・腐葉土・桐生《きりゅう》砂を六・三・一くらいの割合で混ぜる。

ふやし方　秋に根を丁寧にほぐし、分けてふやす。地下茎は寸断せず、長いまま鉢の中にとぐろを巻かせる。

雪の下《ゆきのした》

草本

多年生草本　ユキノシタ科

地植えにも鉢植えにもできる。関東では白い模様のある（銀葉）ものがほとんどだが、やや赤みのある葉の本来の雪の下のほうが美しいので、鉢栽培ではそれを使うとよい。

半日陰で栽培し、水やりは多めにする。ウドンコ病に注意する。

植えつけ　株元から伸びる糸のように細い遊走枝（ランナー）の先に子株ができるので、これが発根し始めたら親から離して植えつける。移植などの時期はとくに選ばない。

用土　地植えの場合、庭土に三割くらいの腐葉土を混ぜる。鉢植えの場合は赤玉土と腐葉土を三対一くらいの割合で混ぜて用いる。

ふやし方　株分けで。

花◎雪《ゆき》の下《した》
花入◎古瀬戸鉢
花を入れる人◎田中昭光

百合《ゆり》

多年生草本　ユリ科

草本

茶花に使われる乙女百合（姫小百合）、姫百合、笹百合など、いずれも水はけのよい斜面に生えるが、足元はたいがい草で覆われ、根元の土には日が当たらないようになっている。したがって地植え、鉢植えともに球根を植えたところの土に日が当たらないような工夫をする。湿らせた水苔をのせる方法もある。

鉢の場合は空気が乾かないところに置き、半日程度午前中に日を当てる。水やりは一日一回を目安にする。

アブラムシがつきやすいので発生初期に防除する。

植えつけ・植え替え　球根の上に一五センチくらい土がのるように深く植える。長もちさせるには地植えし、なるべく植え替えないようにするのがコツ。鉢の場合は毎年初冬に植え替える。これは土を替えるのが目的で、用土を替えないと土の中の空間が少なくなって生育が悪くなる。

用土　鉢植えでは一般の園芸用土を用いる。

笹百合

姫百合

立金花《りゅうきんか》

草本

多年生草本　キンポウゲ科

流水の中に生える草。睡蓮鉢などに苗を植えつけた鉢より三センチくらい深くなるように水を張り、その中に株を植えた鉢を沈める。睡蓮鉢は日当たりのよいところに置き、冬でも水の中に沈めたままとする。水替えを怠らないことが大切。

植えつけ　三月に行う。株分けも同時に。植えつけるとき、緩効性《かんこうせい》のコーティング肥料などを混ぜた用土を鉢の下のほうに置き、その上に肥料を加えない用土を重ねて植えつける。あとで追肥はしない。

用土　田土がよい。

ふやし方　株分けで。

連理草《れんりそう》

草本

多年生草本　マメ科

本来は地植え向きの植物だが、鉢植えもできる。細く倒れやすい草なので、支えがあるとよい。日当たりのよいところで育てる。水やりは乾いたらやる程度。

植えつけ　よく伸びる地下茎をもち、芽をつけたこの地下茎で株分けすることもできるが、種をまくほうが生育がよい。ポットまきにした場合はなるべく早い時期に、根をいじらないように植えつける。

用土　水もちのよい一般園芸用土でよい。BM熔燐《ようりん》を用土一リットルに二グラムくらい混ぜておく。

ふやし方　株分けなら早春、種をまくなら十月で、基本は直《じか》まきする。

秋の茶花を育てる

人参木　合歓木　凌霄花　野牡丹　萩　芙蓉　秋丁字

秋の麒麟草　朝顔　薄雪草　梅鉢草　狗尾草　朮

弟切草　女郎花　雄山火口　歌仙草　蚊帳釣草

雁草　刈萱　萱草　桔梗　菊　菊芋　黄花秋桐　金水引

草牡丹　草連玉　紅輪花　鷺草　沢桔梗　秋海棠

秋明菊　数珠玉　薄　千振　蓼　田村草　段菊　釣鐘人参

釣舟草　蔓人参　蔓竜胆　天人草　烏兜　撫子

婆そぶ　平江帯　鵯花　昼顔　藤袴　杜鵑草　松虫草

水引　山薄荷　山ほろし　竜胆　吾亦紅

人参木 にんじんぼく

シソ科ハマゴウ属の落葉低木

木本

流通しているのは西洋人参木が多い。半日陰にも耐えるが、日当たりのよい肥沃《ひよく》な適潤地を好む。
地植えにも鉢植えにもできる。鉢植えはとくに容易で花つきもよい。

植えつけ 落葉期または春に行う。

施肥 地植えでは、苗木のときには春に緩効性化成肥料《かんこうせいかせいひりょう》を施すが、成木では必要ない。鉢植えでは毎年春に植え替え、そのときに施肥をする。

剪定 必要に応じて、落葉期または花後に行う。

ふやし方 挿し木がよく、三月と六月に行う。

合歓木 ねむのき

マメ科ネムノキ属の落葉高木

木本

やや暖地性で、水はけと日当たりのよい場所を好む。土質は選ばない。鉢植えでは花つきが早い一歳《いっさい》合歓が栽培しやすい。白花や濃桃色の品種もある。
病害虫はときにネムスガ、コガネムシ類に葉が暴食されることがあるので、早めに除去する。

植えつけ 根作りさえしてあれば周年可能。移植は落葉期に行う。

施肥 鉢植えでは春期に緩効性化成肥料を施す。

剪定 冬に行う。花芽をもたないのでどこで切ってもよい。

ふやし方 実生《みしょう》で、または三月か六月に挿し木で。

凌霄花《のうぜんかずら》

木本

ノウゼンカズラ科ノウゼンカズラ属の落葉蔓性木本

やや暖地性。半日陰にも耐えるが、花は日当たりがよくないとつかない。樹勢が強く、土質を選ばない。

植えつけ　落葉期に行う。鉢植えは行灯《あんどん》作りに仕立て、地植えは立ち木仕立てにする。新梢《しんしょう》が垂れ下がるようにすると花つきがよくなる。

施肥　地植えには施さない。鉢植えは春に緩効性化成肥料を施す。

剪定　落葉期に、幹まで切り戻す。枝伸びがよく、混み枝が多くなると、花つきが悪くなる。

ふやし方　根挿しが最も確実。三月または六月に枝挿しができる。

野牡丹《のぼたん》

木本

ノボタン科ノボタン属の亜熱帯性常緑低木

花色が鮮やかなシコンノボタン属の紫紺《しこん》野牡丹とその園芸種、姫野牡丹名で流通するメキシコノボタン属のメキシコ姫野牡丹の園芸種などの流通が多い。

寒さを嫌うので、庭植えは冬場が五度以上の地域か一年生植物扱いとする。鉢植えで室内越冬が無難だろう。水はけがよい用土を用い、日当たりのよい場所で育てる。半日陰にも耐える。

植えつけ　鉢替えは花後、または剪定後に。

施肥　緩効性化成肥料を五月と八月に施す。

剪定　花後、必要な大きさに切り戻す。

ふやし方　気温が二〇度以上の時期に密閉挿しする。

萩《はぎ》

マメ科ハギ属の落葉低木

木本

日当たりがよく、水はけがよい場所を好む。痩《や》せ地でもよく生育する。鉢植えにもできるが、水切れすると葉が傷む。夜間に葉をマメコガネに暴食されることがあるので、見つけたら早めに防除する。

植えつけ　落葉期に行うが、流通している鉢苗は時期を問わない。

施肥　鉢植えでは三月の植え替え時に少量の肥料を施す。その後は下葉の枯れ具合で液肥を追肥する。

剪定　冬期から三月に根元まで切り戻す。枝が伸びすぎる場合は新梢《しんしょう》を六月までに切り戻す。鉢植えも同様。

ふやし方　六月に密閉挿しする。

山萩

芙蓉《ふよう》

アオイ科フヨウ属の落葉低木

木本

暖地性で、日当たりがよく、水はけのよい肥沃《ひよく》な適潤地を好む。鉢植えには基本的に適さないが、十号以上の大鉢に植え、寒冷地では防寒して越冬させるなどすると育てられる。病害虫はワタノメイガ等の食害が目立つので、見つけたら早めに捕殺する。

植えつけ　春に行う。

施肥　三月に鶏糞《けいふん》などの有機質肥料と緩効性《かんこうせい》化成肥料を施す。

剪定　冬に枯れ込んだ部分、または地際付近まで切り戻しする。春の芽吹きから開花までは切らないこと。

ふやし方　三月の挿し木による。

秋丁子《あきちょうじ》

多年生草本　シソ科

草本

開けた林の裾のほうに生える、やや大型の草。

日なたで地植え、鉢植えにできる。日の強さには強いが、日の強さによって葉色や草の形態に変化が出るので、好みに合わせて調節する。日射しを強く当てると葉が小さく厚くなり、葉色は黄をおび、葉脈が赤みをもつ。水やりは普通で一日一回を目安とする。液肥を月に二回程度施す。肥料はやりすぎないこと。

植え替え　春の芽立ち前に。

用土　赤玉土に腐葉土を三割混ぜる。

ふやし方　地中の硬い茎が枝を分けるように分かれていて、そこに芽があるので、これを分けて植えつける。

秋の麒麟草《あきのきりんそう》

多年生草本　キク科

草本

開けた林の裾や草原に生えるやや大型の草。鉢で作ると小さくなり、草丈一〇センチくらいで花を咲かせることもできる。

日当たりのよいところで育てる。水やりは一日一回を目安とする。液肥を与えると草丈が大きくなるので、好みによって調節する。

植え替え　春の芽立ち前に。早春に新しい芽が出てくるので、その芽を分けて植えつける。

用土　赤玉土に腐葉土三割（締めて作りたければこれに桐生砂《きりゅう》二割を加える）を加えればよい。ゆったりした鉢で作れば大きくなる。

朝顔《あさがお》

一年生蔓性草本　ヒルガオ科

草本

大輪の花を咲かせるには遺伝的特性が必要で、単に「大輪」と書いた種を買っても大輪とはならない。朝顔会などから分けてもらう。

　日当たりは絶対条件となる。水やりは朝一回とする。肥料を多くすると葉ばかり伸びて花が咲かないので注意する。夜間の外灯の影響のあるところに置かないことも大切。短日性なので花がつかなくなる。

植えつけ　原則は直《じか》まき。都合によってポットまきするなら、赤玉土または砂の単用とする。種は数時間水につけ、十分に吸水した種のみをまく。吸水しない石種は皮を一部削って水につけ、吸水させてからまく。気温が十分に高くなってから（一八度以上）まくことが肝心である。双葉が完全に開いたら、根をいじらないようになるべく早く植えつける。

用土　排水性のよい一般園芸用土でよく、天気のよい日の夕方には葉がややしおれるくらいの乾きかげんの用土がよい。

花◎朝顔《あさがお》
花入◎楽釣舟《らくつりふね》
花を入れる人◎武内範男

薄雪草《うすゆきそう》

草本

多年生草本　キク科

丈夫な草で、鉢植えもできる。白く仕上げるためにはよく日に当てることと、肥料をあまり多く与えないことが大切。

植えつけ・植え替え　植えつけ、株分けは早春にも行えるが秋のほうがよい。あまり小分けしないこと。

用土　洗った桐生砂《きりゅう》、矢作砂《やはぎ》、赤玉土を等量で混ぜ合わせる。水はけがよい用土なので、水切れを起こさせないように注意する。

ふやし方　株分けのほか、実生《みしょう》でふやすこともできる。その場合は秋に採りまきする。

梅鉢草《うめばちそう》

草本

多年生草本　ニシキギ科

やや高い山の、日当たりのよい裸地に生える。栽培はやさしいが、下葉が枯れやすい。空気の乾きすぎと夜間が暑いためで、空中湿度を高く保つ工夫をする。

日なたで育てるが暑がるので、梅雨明け以降は半日陰とする。彼岸頃からは再び日当たりのよいところへ。ハダニは葉を傷めるので、見つけしだい駆除する。

植えつけ・植え替え　早春の芽立ち前に行う。株分けもこの時期に。

用土　赤玉土・腐葉土・矢作砂を七・二・一程度に混ぜて用いる。

ふやし方　実生または株分けで。

狗尾草　えのころぐさ

草本

一年生草本　イネ科

空き地や道端などどこにでも生える草で、きわめて丈夫。その生命力を考えると、地植えよりもむしろ鉢植えをすすめたい。前年に好きな種類の種を採っておく。

乾燥にもかなり強いので目的によって水やりを加減する。プランターや鉢では乾燥ぎみに育てると、金狗《きんえの》尾《ころ》では七〇センチくらいの草丈にすることもできる。

植えつけ　四月に種をまく。発芽はよいので適宜に間引き、日のよく当たるところで育てる。

用土　庭土、一般の園芸用土でもよいが、目的によっては桐生砂《きりゅう》を単用にするなど、土を変えることによりいろいろな作り方ができる。

狗尾草

朮　おけら

草本

多年生草本　キク科

明るい林床《りんしょう》で見られる秋の代表的植物の一つ。鉢植えにも地植えにも向く。

梅雨明け前までは日当たりのよいところで育て、それ以降は半日陰とする。水やりは一日一回程度。

夏場、株の足元に日が当たらないような工夫をすることが望まれる。風が通るところで育てることも、締めて作る要点となる。

用土　一般の園芸用土でもよいが、赤玉土・腐葉土・桐生砂を六・二・二くらいの割合で混ぜたもののほうが草が締まって茶花に向く。

ふやし方　株分けで。早春の芽立ち前に行う。

弟切草《おとぎりそう》

多年生草本　オトギリソウ科

草本

明るい山野に自生する丈夫な大型の草。地植えも鉢植えもできる。

　日当たりのよいところで育てるが、真夏は風通しのよい涼しいところに移し、暑すぎないようにやや日当たりを弱くしたほうがよい。肥料は目的によってほどほどに用いる。

用土　赤玉土に三割程度の腐葉土を混ぜる。

ふやし方　普通、種をまいてふやす。秋に採りまきし、寒くなる前にポットなどに取り、育苗《いくびょう》する。これを春になって植えつける。水を好むので、水やりは多めにする。

女郎花《おみなえし》

多年生草本　スイカズラ科

草本

大型の草なので鉢には向かないが、プランターであれば栽培できる。鉢植えには近種の小金鈴花《こきんれいか》など小型のもののほうがよい。

　女郎花は日当たりのよいところで育てるが、夏の暑さを嫌うため意外に作りにくい。風通しのよいところを選ぶことも上手に育てるコツの一つ。水は十分にやる。肥料を多く与えると腐りやすいので注意する。

　男郎花《おとこえし》も育て方はほぼ同じである。

植えつけ・植え替え　早春。根茎の株分けも同時期に。

用土　水はけを重視した用土を用いる。

ふやし方　種、または根茎の株分けで。

雄山火口《おやまぼくち》

草本

多年生草本　キク科

山が崩れて新しい土がむき出しになっているような、日当たりのよいところに生える大型の草。根が牛蒡《ごぼう》のように太く長い。

日なたで地植えで育てる。鉢植えの場合は深鉢を用いる。水に対する要求度が意外に高く、しかも動いている水が好きなので、水はけを十分に考えた鉢構造にし、朝晩水をやるとよい。

用土　一般の園芸用土でもよいが、野性味を大切にするなら、赤玉土・桐生《きりゅう》砂を等量、またはこれに腐葉土を二割加える。

ふやし方　種で。株分けもできる。

花◎雄山火口《おやまぼくち》　達磨菊《だるまぎく》　丹後更科升麻《たんごさらしなしょうま》
花入◎竹尺八花入
花を入れる人◎小林 厚

歌仙草《かせんそう》

多年生草本　キク科

草本

田の縁や、かなり湿りけの強い湿地に生える。そういう場所が減ったのか、最近あまり出会わなくなった草の一つである。丈夫な草なので栽培はむずかしくはなく、地植えにも鉢植えにもできる。

日当たりを十分にし、水やりを多くして育てる。

用土　とくに土を選ばず、田土や荒木田土《あらきだつち》など重めのものがよい。

ふやし方　地下茎を伸ばし、その先に芽を出して繁殖する。早春その地下茎の先端の芽の部分を移植する。掘り取るときは前年の枯れた跡の近くにも芽があるので、それを目当てに掘るとよい。

蚊帳釣草《かやつりぐさ》

一年生草本　カヤツリグサ科

草本

田んぼの代表的な草であるように、湿地に生える。

種の採取については、狗尾草《えのころぐさ》同様種類が多く、それぞれ花の形などが異なり、雰囲気も違うので調べて種を採る。

日当たりが十分なこと、水を切らさないことが大切。肥料の与え方で大きさはかなり違ってくるので、目的を考えて調整する。

植えつけ　種は三～四月にまく。

用土　田土がよい。水盤に荒木田土を盛り上げて作るのもよい。

ふやし方　種による。

雁草《かりがねそう》

多年生草本　シソ科

草本

山裾などの開けたところで見る大型の草。触るとかなり強い臭いがする。庭植えするか、または野生のものの採取をすすめる。鉢植えでは扱いにくい。
　日は半日程度当たればよく、水やりは乾いたらやる程度とする。

植えつけ・株分け　ともに、早春の芽立ち前に行う。

用土　一般園芸用土でよい。

ふやし方　株分けによる。

刈萱《かるかや》

多年生草本　イネ科

草本

日当たりのよい原野に生える、大型の草。しかし鉢に植え、植え替え回数も減らして、二〇センチほどで穂が出るくらいに小さく育てることもできる。
　逆に水を十分にやると大きくなる。肥料も同じ。このように栽培目的によって大きさは調節できる。
　地植え、鉢植えともに日当たりのよい場所で育てる。

植えつけ・植え替え　ともに早春。

用土　赤玉土の単用。丈を伸ばしたい場合は腐葉土を混ぜる。

ふやし方　種でふやす場合は春まきすると、秋には穂が出る。株分けもできる。

雄刈萱

萱草《かんぞう》

草本

多年生草本　ワスレグサ科

平地の草原などで見られるものは藪萱草《やぶかんぞう》が多く、田の縁や流れに近く地中水分の多いところには野《の》萱草が見られる。姫萱草は日光黄菅《にっこうきすげ》の変種と考えられているがはっきりしない。丈夫な草で地植えも鉢植えもできる。

根詰まりすると花がつきにくいので、ゆったり植えること。日当たりのよいところで育て、水は朝一回たっぷりとやる。

植え替え　早春。

用土　やや重めの園芸用土、田土・腐葉土・桐生砂《きりゅうずな》を六・二・二くらいの割合で合わせたものなどを用いる。

ふやし方　植え替え時の株分けによる。

野萱草

桔梗《ききょう》

草本

多年生草本　キキョウ科

風趣に富む花であるが、栽培上は丈夫な草。

日当たりのよいところで育て、一日一回程度水やりする。根は太く軟らかいので、鉢植えの場合、冬期に凍らせないようにする。

植えつけ・植え替え　早春、芽立ち前に行う。

用土　一般園芸用土でよい。

ふやし方　実生《みしょう》、挿し芽のほか株分けもできる。種は春にまく（気温が一五度以上ないと発芽しにくい）と、翌年の初夏～初秋に開花する。挿し芽は五～六月頃に鹿沼土などに挿せば三週間くらいで発根するので、数を多く必要としなければこのほうが手っ取り早い。

菊《きく》

多年生草本　キク科

草本

茶花では野菊の類が好まれるほか、浜菊、磯菊など海岸性の菊も好まれる。関東での野菊は嫁《よめ》菜《な》、柚《ゆう》香《が》菊《ぎく》、野紺菊など。地方によってその種類は異なる。

これらの野生菊が自生する場所は山裾の林床《りんしょう》から草原、あるいは田の縁など実に多彩で、要求される環境もそれぞれ異なり、たいへん幅が広い。育てる場合はそれぞれの菊の生える場所の環境を調べてから着手したい。

いずれも日当たりが十分な場所で育て、とくに海岸性の菊は強い日に当てないとその菊本来の姿を現さないので注意したい。肥料はよく効くので、作る目的に合わせて調節する。

植えつけ　早春から五月にかけて。

用土　海岸性のものを除けば、赤玉土に腐葉土を二〜三割混ぜたものでよい。海岸性のものはこれに矢《や》作《はぎ》砂など粗めの砂を二〜三割ほど加える。

ふやし方　早春の株分けと五月頃の新芽の挿し木で。

花◎浜菊《はまぎく》
花入◎根《ね》来《ごろ》瓶《へい》子《し》
花を入れる◎小川良子

浜菊

野紺菊

野路菊

菊芋 きくいも

多年生草本　キク科

草本

地下に塊根ができる丈の高い植物。東北、北海道などでは野生化している。栽培はとくにむずかしくなく、関東でも十分に育つが、あまり見かけることがない。

日当たりのよいところであれば土も選ばず、地植えにも鉢植えにもできる。ただし地中が湿っているのが好きで、土に湿りけがあるとよく育つ。丈を低く作ることは、かなりむずかしい。

植えつけ　春。

用土　とくに選ばない。

ふやし方　株分けでふやす。

黄花秋桐 きばなあきぎり

多年生草本　シソ科

草本

明るめの林床《りんしょう》に、比較的まばらに生える草。

日当たりは必要だが、六〇パーセントくらい光をさえぎるくらいがちょうどよい。水やりは一日一回程度とする。空中湿度を高く保ち、緩《ゆる》い空気の流れが欲しいところ。

植えつけ・植え替え　地下茎が伸びてところどころに冬芽を作る。これを株分けして植えつける。種は三月にまいて、順調にいけばその年に開花する。

用土　赤玉土と腐葉土を三対一の割合で合わせる。

ふやし方　地下茎にできる冬芽を分けて植えつけるが、種をまくほうが確実で早い。

金水引《きんみずひき》

草本

多年生草本　バラ科

日のよく当たるところから、かなり暗い林床まで適応力の広い丈夫な草。地植えにも鉢植えにもできる。

　半日陰で栽培したいが、がっちりしたものが必要なら明るくする。肥料も目的によって加減する。野趣が強いのであまりたけだけしくならないよう、ほどほどに。

用土　とくに選ばず、腐植の多いものであればよい。

ふやし方　株分けするなら芽立ち前に植え替えをかねて行う。ただしふえる率は低い。種を秋に採ってすぐにまくと春に発芽するが、多くは当年中に開花する（株は小さい）。

草牡丹《くさぼたん》

草本

多年生草本　キンポウゲ科

落葉と同時に半分くらいまで枯れるが、下のほうは木化して残り、春に途中から芽吹く。そのため大型の草ものではあるが、分類上、木とする説もある。

　普通地植えにするが、大型の鉢で育てることもできる。種をまいて開花まで三年くらいかかるので、株が手に入るならそのほうが容易である。

　日当たりのよいところで育てる。水やりは一日一回程度。とくに形を整えるようなこともしない。

　大型の白いアブラムシがよく発生するので、発生直後に駆除すること。

植えつけ　芽立ち前に行う。

草連玉《くされだま》

草本

多年生草本　サクラソウ科

日当たりのよい湿地に生えるやや大型の草。地植えも鉢植えもできる。日当たりのよいところで育てる。

植えつけ・植え替え　早春。地下茎をもち、そこに冬芽を作っているので、これを分けて植えつける。鉢に田土を入れ、その上に地下茎を適当に這《は》わせ、その上から二センチくらい田土をかぶせる。これを浅い腰水（朝水を張り、夕方なくなるくらい）とし、水は切らさない。場合によっては多少冠水していてもよい。

用土　田土を用いる。

ふやし方　地下茎の株分けで。

紅輪花《こうりんか》

草本

多年生草本　キク科

日当たりのよい草原に生える。通信販売で苗の販売もよく見かける、花壇向き草花である。必ず日当たりのよいところで育てる。水やりは一日一回。夏場、乾燥させると下葉から枯れ上がるので気をつける。

植えつけ・植え替え　早春。株分けもこのときに行う。地下茎の先に子苗ができるので、これを分けて植えつける。

用土　やや湿りけのあるところを好むようなので、用土は一般園芸用土で水もちのよいものを選ぶか、ピートモスを一割くらい加えるとよい。

ふやし方　株分けで。

鷺草《さぎそう》

草本

多年生草本　ラン科

大豆粒くらいの球根をもつ湿地の蘭。肥料は効くが、清楚さが身上の花ゆえ、決して多肥にしないこと。冬は凍らず、湿りを保てる場所に置く。その後は日のよく当たる場所で、ごく浅い腰水で栽培。腰水は朝水を張り、夕方ほぼなくなるくらいがよい。光はいらない。

植えつけ・植え替え　三月初めに行う。深さ四センチくらいの平鉢に赤玉土を二・五センチくらい入れ、その上に球根を並べ、鉢の高さまで水苔を詰める。霜の心配がなくなるまで、凍らない場所で乾かさないように管理する。

用土　赤玉土（小粒）を用いる。

花◎鷺草《さぎそう》　黄釣舟《きつりふね》
花入◎銅盒子《こうす》
花を入れる人◎小川良子

沢桔梗《さわぎきょう》

多年生草本　キキョウ科

草本

日当たりのよい湿地に生える。したがって日当たりと水の管理が大事。一本立ちだが、剪定《せんてい》すれば枝も出る。

　水の管理は、深い腰水（水面と鉢土の面が同じになるくらいの深さに沈める）、浅い腰水（朝水を張り、夕方なくなるくらい）などがある。深い腰水にして、その水が動かないと根腐れを起こす。流れを作る、毎日水を替えるなど、水が動いていることが大切。

植えつけ　秋に地上部が枯れたとき、または早春に行う。ふやすときは株分けも同時にする。

用土　田土、または水苔を用いる。

ふやし方　挿し芽、または株分けで。

秋海棠《しゅうかいどう》

多年生草本　シュウカイドウ科

草本

小型の球根をもつ半日陰の花。水けの多い半日陰に地植えすると栽培しやすい。

　鉢植えの場合は風当たりの強くない半日陰で、できれば周りに草や木が多いところで育てたい。空中湿度が低いと葉が傷むので、小型の鉢を単独で作るような場合は環境を作るのがむずかしい。水やりは朝一回だが、気温が二〇度を超えたら、朝晩水やりする。

植えつけ　春。球根（塊茎）を植えつける。

用土　鉢の場合は赤玉土・桐生《きりゅう》砂・ピートモスを五・三・二くらいの割合で混ぜた土を用いる。

ふやし方　茎の分岐部にできるむかごで。挿し芽でも。

秋明菊《しゅうめいぎく》

草本

多年生草本　キンポウゲ科

地下茎の先に子苗を作り、庭ではいたるところに生えてくるくらいに丈夫な花。

　地植えでも、大きめの鉢やプランターに植えるのでもよい。ただし小さい鉢では花をつけさせるのがむずかしい。

　日当たりのよいところから明るい半日陰まで、適応力は高い。水やりは一日一回程度とするが、水に関しても許容の幅が広い。

　肥料の効果は大きく、やりすぎるとかなり大きくなるので注意する。

用土　鉢植えの場合、土は一般園芸用土を用いる。

ふやし方　早春から初夏までに、株分けで行う。

花◎秋明菊《しゅうめいぎく》
花入◎備前《びぜん》四方《よほう》花入　敷板◎焼杉
花を入れる人◎小林 厚

白い八重の秋明菊

秋明菊(別名貴船菊)

数珠玉《じゅずだま》

多年生草本　イネ科

草本

水けの多い場所に生える大型の草。鉢では大きすぎてむずかしい。地植えにするが、ごく小さい株にすればプランターでも栽培できなくはない。

　日当たりのよいところで育てる。水辺の草なので、水はやりすぎても大丈夫。たいへん丈夫で、逆に乾いても結構生きている。

植えつけ　春早く。毎年、前年の枯れ茎を焼くなり、刈り取るなりして、春芽が出やすいようにしてやる。

ふやし方　株分けでもふやせるが、株は堅くて大きく、分けづらいので、普通は種でふやす。三月まきで、その年に結実する（古株ほど大きくはない）。

千振《せんぶり》

越年生草本　リンドウ科

草本

日当たりのよい、湿りけの多い草原に生える。

　地植えでも鉢植えでもよく、日当たりのよいところで育てる。水が好きな草なので、強く乾かさないようにし、水やりはこまめにする。肥料を多く与えないようにし、月二回液肥を施すくらいにする。

用土　土は赤玉土に二割程度の腐葉土を混ぜればよい。

ふやし方　ふやすのは実生《みしょう》で。種は秋に採りまきする。発芽率はあまりよくない。移植を好まないので、芽吹いたのち、苗は早く定植する。

薄《すすき》

多年生草本　イネ科

草本

日当たりのよい原野に生える。地植えでは大型だが、鉢などに取ると年数が経つにしたがって小型化する。

日当たりのよいところで育てる。水やりも一日一回程度にする。肥料をやると、かなり大きくなる。

矢《や》筈《はず》薄など品種ものを鉢で維持するのであれば、二年に一度は土を替える。

植え替え　早春。そのとき株を割ってふやす。

用土　普通サイズに作るなら一般の園芸用土でよい。小型化するのであれば赤玉土のみで植えつけ、さらに何年か植え替えない。

ふやし方　株分けでふやす。

花◎桔梗《ききょう》　河原撫子《かわらなでしこ》　矢《や》筈薄《はずすすき》
花入◎唐物《からもの》手付籠
花を入れる人◎小林 厚

蓼《たで》

草本

多年生草本　タデ科（桜蓼）　一年生草本　タデ科（柳蓼）

いずれも日当たりのよいところで育てる。

桜蓼、柳蓼は湿地の植物なので、鉢ごと水に浸して浅い腰水とし、夕方には水がなくなるくらいにする。水は毎日取り替えること。ほかの蓼は一日一回の普通の水やりで十分。

植えつけ・植え替え　桜蓼は根茎を伸ばしてその先に芽を作るので、芽立ち前の早春に根茎をつけて株分けする。そのほかの一年草は春に種をまく。

用土　桜蓼、柳蓼は田土を使う。ほかの蓼は一般園芸用土でよい。

ふやし方　種まき、または株分けで。

犬蓼

田村草《たむらそう》

草本

多年生草本　キク科

日当たりのよい草原に生える草なので、日なたで育てる。水やりは普通で、土が乾いたら水をやる程度とする。苗のうちに肥料を与えておくのがよく、液肥を週一回くらいの割合で与える。

植えつけ・植え替え　ともに早春に行う。

用土　赤玉土に三割程度の腐葉土を混ぜて用いる。

ふやし方　ふやすには実生《みしょう》のほうをすすめる。株分けもできるが、根が木化していて分けにくい。種は三月にまく。

段菊《だんぎく》

多年生草本　シソ科

草本

九州北部と対馬《つしま》の日当たりのよい草地に生育する。

　日当たりのよいところであれば、地植えにも鉢植えにもできる。夏前には液肥を週一回くらいの割合で与え、梅雨明け以降はあまり与えないようにする。

用土　排水性のよい一般の園芸用土でよい。

ふやし方　茎の下のほうは木化していて、そこに次の年の芽が出る。この芽をそのまま使うよりも、春に伸びてきた芽を挿し芽して、若い苗から育てたほうがよく育つ。

釣鐘人参《つりがねにんじん》

多年生草本　キキョウ科

草本

日の当たる山地や、やや高い草原に生える。地植えにも鉢植えにもできる。鉢植えの場合、根が長いので深鉢を用いる。日当たりのよいところで育て、水やりは一日一回を目安とする。

用土　赤玉土・腐葉土・矢作《やはぎ》砂を五・二・三くらいの割合で混ぜる。

ふやし方　普通株分けでふやすが、太くなった根をカッターナイフで切り分けると腐りやすいので、株が小さく根の細いうちに分けるようにする。種をまいてもよく発芽するが、開花までに三年くらいかかる。

釣舟草《つりふねそう》

一年生草本　ツリフネソウ科

草本

水がにじみ出てくるような湿りけの強い、明るい林床《りんしょう》に生える。

明るい日陰で育てる。水は朝晩二回やる。乾いた空気が流れるところでは葉が乾いて枯れるので、とくに注意する。

黄釣舟草も同様に扱う。

植えつけ　種まきは八重桜が咲く頃。栽培する場所や鉢に直《じか》まきでもよいが、ポットにまいて、本葉が出た頃に植えつけたほうが丈夫に育つ。発芽まで絶対に乾かさないこと。

用土　種まき用の土は赤玉土のみ。栽培用の土は田土と桐生砂《きりゅう》を三対二の割合で混合する。

ふやし方　種まきで。

花◎黄釣舟《きつりふね》　日《ひ》の丸空木《まるうつぎ》　縞葦《しまあし》
花入◎籠釣花入
花を入れる人◎田中昭光

黄釣舟草

釣舟草

蔓人参《つるにんじん》

多年生蔓性草本　キキョウ科

草本

落葉樹林の明るめの林床に生える蔓性植物。蔓がかなり長いので扱いにくいが、愛らしい風情の花である。

　根は太く軟らかい塊根で傷つきやすく、傷をつけると腐りやすいので、扱いには注意する。

　四月いっぱいは日なたで育てるが、それ以降は半日陰で育てる。水やりは一日一回を目安とする。夏にハダニが出やすいので、見つけたらすぐに除去する。

植えつけ・植え替え　早春。
用土　赤玉土・腐葉土・桐生砂を六・二・二程度で合わせる。
ふやし方　実生《みしょう》で。三月頃種をまく。

蔓竜胆《つるりんどう》

多年生蔓性草本　リンドウ科

草本

落葉樹の林床に見られる蔓性の草。赤い実がひときわ目立ち、茶花でも重要な秋草の一つである。

　地植えにも鉢植えにもできる。春先は日なたで育て、少し日が強くなってきたら半日陰へ移す。梅雨明け以降は風通しのよい日陰に移す。風を通すと乾くため、朝晩水やりをする。

植えつけ・植え替え　早春に行う。株分けも同時期。六月に蔓を挿してもよくつく。
用土　赤玉土・桐生砂・腐葉土を五・四・一の割合で。
ふやし方　株分け、挿し芽などで。

秋に赤い実をつける

天人草 てんにんそう

多年生草本　シソ科

草本

やや明るめの林床《りんしょう》に群生。大型の草だが、鉢などで締めて育てれば、かなり小型になっても良い花が咲く。

梅雨明けまでは日当たりのよいところで育て、梅雨明け以降、秋の彼岸までは半日陰とする。その後は再び日なたに戻す。水やりは一日一回を目安とする。

肥料の効果は大きいが、与えすぎると野太くなって風情がなくなるので注意する。

植えつけ・植え替え　早春。株分けもこの時期で、株を割るように分ける。

用土　赤玉土に二割の腐葉土を混ぜたものを用いる。

ふやし方　株分けのほか、種まきでも。

鳥兜 とりかぶと

多年生草本　キンポウゲ科

草本

普通花壇などで作るものは園芸種で、切り花で売られているのもこのタイプである。野生で見られる山鳥兜は日の当たる山地に他の草に混じって咲く。

日なたで育てるが、根が暑くなることを嫌うので、株元に日が当たらないように工夫する。水やりは朝一回程度。水をやりすぎると根が腐るので注意。

用土　普通の園芸種の鳥兜は一般の園芸用土でよい。野生のものは通気性を考慮して赤玉土・腐葉土・桐生《きりゅう》砂を七・二・一程度の割合で混ぜる。

ふやし方　種まきで。株分けは腐りやすく、むずかしい。

山鳥兜

撫子《なでしこ》

多年生草本　ナデシコ科

草本

日当たりを好む常緑性の草。石竹《せきちく》も同属。地植えにも鉢植えにもできる。夏は半日陰、それ以外はよく日に当てて育てる。水やりは朝一回を目安とする。

河原撫子以外の撫子類は初夏に株元に多数の芽が作られ、蒸れやすいので、少し透かして風通しをよくしてやるとよい。このとき取り除いた芽を挿すと簡単に発根、株をふやすことができる。

植えつけ・植え替え　秋がよい。株分けも同時期。

用土　水はけのよい園芸用土を用いる。

ふやし方　種でふやすほか挿し芽、株分けもできる。種は九月にまけば翌年開花。挿し芽は五～六月が楽。

河原撫子

婆そぶ《ばあそぶ》

多年生蔓性草本　キキョウ科

草本

低山の林床に生える長い蔓の草。風が通る半日陰の場所で育てる。

蔓が長くなるので蔓の処置をどうするか考えておくこと。水やりは一日一回程度とする。

山に生えている状態では問題ないが、住宅地ではハダニに苦労する。見つけたらすぐに除去する。

植えつけ・植え替え　早春。

用土　赤玉土・腐葉土・桐生砂を七・二・一くらいの割合で混ぜて用いる。

ふやし方　実生《みしょう》、または挿し木で。挿し木は初夏に蔓を挿せばつく。挿し木の用土は植えつけ用と同じ土で。

平江帯《ひごたい》

多年生草本　キク科

草本

日当たりのよい草原に生える大型の草。大型のプランターに植えるか、地植えがよい。

　日当たりがよいところで育てる。水やりは土が乾いたらやる程度とする。

植えつけ・植え替え　春に行う。植え替えは毎年したほうがよい。

用土　プランターでは一般園芸用土を用い、地植えではとくに土壌改良などする必要はない。

ふやし方　実生《みしょう》で。遊走枝（ランナー）が出ると、これを分けることもあるが、栽培ではあまり出ない。

鵯花《ひよどりばな》

多年生草本　キク科

草本

比較的乾いた山地に生える丈夫な草。

　日当たりのよいところで育てる。水やりは朝一回を目安にする。環境によるが、丈が高くなりすぎるようなら、六月頃に適当に剪定《せんてい》する。

　沢鵯《さわひよどり》はやや水の要求度が高い。土には砂を入れないほうがよい。

植えつけ・植え替え　春に行う。

用土　一般の園芸用土でよいが、桐生《きりゅう》砂を二割程度混ぜて、締めて作るほうが風情がある。

ふやし方　地下茎でふえるので、春に株を割るようにして植え替える。挿し芽でも。

昼顔《ひるがお》

多年生蔓性草本　ヒルガオ科

草本

猛烈に伸びる地下茎でふえる。したがって地植えしないこと。あとで駆除に苦労することになる。種はあまり見ないが、作った覚えのないところに生えてきて困るから、多分はじけてこぼれるのだろう。

日当たりのよいところで育てる。水やりは朝一回程度。丈夫なので、少々の乾きにも耐える。蔓が長く伸びるので、支柱を考えておく。

植えつけ　春に地下茎をもらってきて、植えつければよい。

用土　普通の園芸用土で十分。

ふやし方　株分けのほか、挿し芽でも。

藤袴《ふじばかま》

多年生草本　キク科

草本

河原の土手などに生えるとされているが、近年は見かけない。野生のものは珍しくなったが、鉢植えなどでは多く出回る。丈夫で、よく繁殖する植物である。

日当たりのよいところで栽培する。水やり、肥料とてもごく普通でよい。かなり大きくなるので、鉢植えではその株に見合った深鉢を使うようにしたい。

植えつけ　春早くに行う。

用土　一般の園芸用土でよいが、排水性がよいものを選ぶこと。

ふやし方　株分けで。春早く、株を割るようにして分け、植えつける。

杜鵑草《ほととぎす》

草本

多年生草本　ユリ科

上臈《じょうろう》杜鵑草と黄花突抜《きばなつきぬき》杜鵑草はとくに空中湿度を高く保つことで、きれいな草姿に育てることができる。

いずれの杜鵑草も日なたで育てるが、日が強くなる五月中頃からは半日陰とする。強い日に当てると葉焼けするので注意すること。水やりは湿度を高くできていれば、一日一回でよい。

植えつけ・植え替え　芽立ち前の早春。株分けも同じ。

用土　上臈杜鵑草は七号くらいの特長鉢によく洗った桐生《きりゅう》砂と鹿沼土を半々に混ぜた土で植える。梅雨明けまで切れ目のないように液肥を与える（週一回）か、緩効性《かんこうせい》の肥料を与えて育てる。

他の杜鵑草の用土は赤玉土・桐生砂・腐葉土を七・二・一くらいの割合で混合する。

ふやし方　株分けでふやすほか、五月の挿し芽でもよく、実生《みしょう》では秋に採りまきする。

花◎上臈杜鵑草《じょうろうほととぎす》　秋明菊《しゅうめいぎく》
花入◎広口透《すかし》籠花入
花を入れる人◎武内範男

山杜鵑草

杜鵑草

上臈杜鵑草

松虫草《まつむしそう》

越年生草本　スイカズラ科

草本

自生のものはやや高いところの草原に生える。普通栽培されているのは西洋松虫草が多い。

日当たりのよいところで育てる。地植えも鉢植えもできる。水やりは一日一回を目安とする。多肥にすると熱帯夜のときに弱る。夜間空気が動いていることが望ましい。

植えつけ　春または秋に種をまく。

用土　赤玉土・腐葉土・桐生《きりゅう》砂を七・二・一程度の割合で混ぜて用いる。

ふやし方　実生《みしょう》で。秋に種を採りまき、または春にまく。

水引《みずひき》

多年生草本　タデ科

草本

山裾など比較的明るい林床《りんしょう》の草。やや大型なので、普通は地植えで作るが、プランターや鉢植えにもできる。

日当たりがあまり強くないほうがよく、半日陰で十分。ただし日が強くても耐える。水やりも普通に一日一回程度。

植えつけ　種を採りまきすると春遅く発芽してくるので、早めに定植する。大きくなってからでは根が深いので傷みがひどく、移植に適さない。

用土　一般園芸用土でよい。

ふやし方　多年草だが、種をまいてふやすのが普通。

山薄荷《やまはっか》

草本

多年生草本　シソ科

草原や山地などいろいろなところに生える。そのため日当たりはよいほうがよいが、かなり暗い条件でも育てることができる。

水やりは朝一回程度でよいが、夏場に乾燥の強い場所に置くとハダニの発生が多くなり、観賞価値をなくす。ハダニは見つけたらすぐに除去する。液肥を与えると大きくなるので、目的を考えてほどほどに用いる。

用土　一般園芸用土でよい。

ふやし方　芽立ち前に株分け、植え替えすることでふやす。大量に必要なら春に挿し木をしてふやすこともできる。

山ほろし《やまほろし》

草本

多年生蔓性草本　ナス科

長い蔓になる植物。現在市販されている多くは外来の西洋山ほろしで、花の形がかなり違う。本来の山ほろしは花弁の切れ込みが鋭く、やや反る形となる。

地植えも鉢植えもできる。日当たりはあまり強くなくてよく、ちらちら漏れる程度が適する。蔓が長いので、その処理を最初から考えておく。西洋山ほろしも扱いは同じだが、こちらのほうが丈夫で花がよく咲く。

用土　一般の園芸用土で。

ふやし方　ふやすには挿し木をすすめる。六月に今年伸びた蔓のやや固まったものを挿せば簡単につく。挿し芽の土は砂または赤玉土。

西洋山ほろし

竜胆《りんどう》

多年生草本　リンドウ科

草本

やや乾いた山地や草原に生える。育てやすく、地植えも鉢植えもできるので、どのような姿に作りたいかによって用土を設定する。作りたいイメージがあれば、どのような作りにも応えてくれる草といえる。

用土　一般の園芸用土で肥料を多めにして育てればたくさんの花がつくが、雅味に乏しいものとなる。逆に痩せた土で作れば楚々《そそ》とした風情に咲く。例として赤玉土に腐葉土を混ぜた土はほとんど肥料分を含まず、かなりの痩《や》せた土ということになる。

ふやし方　春の芽立ち前に株分けしてふやす。あるいは川砂で挿し木しても簡単につく。

吾亦紅《われもこう》

多年生草本　バラ科

草本

高原の秋の主要な草。大型の草なので鉢には向かないが、プランターなら栽培できる。鉢植えには屋久島吾亦紅などの小型のもののほうが向く。

　日なたで育てるが、夏の暑さを嫌う。午前中に日が当たって、午後からは日陰になるような場所であれば申し分ない。午後は遮光《しゃこう》する方法もある。風通しのよいところを選ぶ。水やりは十分に。肥料が多いと腐りやすいので、月に二回ほど液肥を施す程度とする。

用土　水はけを重視した用土（赤玉土・腐葉土・矢作《やはぎ》砂を六・二・二の割合で混合したものなど）を用いる。

ふやし方　早春に根茎の株分けでふやす。

冬の茶花を育てる

鶯神楽　梅擬　唐橘　寒緋桜　木豇豆

梔子　小楢　実葛　山査子　千両　衝羽根　蔦

椿　吊花　蔓梅擬　満天星　夏櫨　南京櫨

錦木　榛　榛の木　総桜　真弓　万両　紫式部

日本紅葉　柳　藪柑子　藪山査子　令法

臘梅　烏瓜　寒菊　吉祥草　クリスマスローズ

水仙　石蕗　鴨上戸　福寿草

花◎水仙《すいせん》　鶯神楽《うぐいすかぐら》
花入◎青磁花入　川瀬忍作
薄板◎真塗《しんぬり》 蛤《はまぐり》 端《ば》
花を入れる人◎小川良子

鶯神楽《うぐいすかぐら》

木本

スイカズラ科スイカズラ属の落葉低木

北海道南部以南の山地の林縁に自生する。日陰に耐えるが、水はけのよい陽地を好む。赤い果実が食べられることから庭木として植えられる。

地植えでも鉢植えでも育てることができる。

株立ちになる性質があり、三～五本仕立てにして、ひこばえは取り除く。防除が必要な害虫はない

植えつけ　植えつけ、移植ともに秋から冬がよい。鉢植えの場合は一年おきに植え替えをする。

施肥　夏秋期に控えめにする。地植えの成木では必要ない。

剪定　ほとんど不要だが、伸びすぎた枝を切り戻す程度に。

ふやし方　採りまきで実生《みしょう》にするか、六～七月に生育枝を挿し木する。

梅擬

うめもどき

モチノキ科モチノキ属の落葉低木

木本

日当たりのよい適潤地を好む。春に枝の葉腋《ようえき》に花をつけるが、若木や徒長枝《とちょうし》には花がつかない。雌雄異株であり、市販の実つきの苗は接ぎ木された雌株であるが、雌株だけでも実はつく。雄株があれば、なお実がつきやすいことから、通信販売で流通する。

鉢植えにもできる。乾くと葉が枯れやすく実つきに影響するので、受け皿を敷くなど水が切れない工夫を。

植えつけ　植えつけ、移植ともに秋または春。

施肥　秋に。地植えの成木では植えつけ時以外不要。

剪定　伸びすぎた枝、混み枝を除く程度に。

ふやし方　園芸種は実生苗を台木に接《つ》ぎ木する。

唐橘

からたちばな

サクラソウ科ヤブコウジ属の常緑小低木

木本

茨城県、新潟県以西の暖地の常緑樹林内に自生する。暖地性で明るい日陰と腐植質の適潤地を好む。

庭植えでは赤い実が目立つので小鳥に狙われ、観賞期間が短い。実つきの鉢植えのものが流通するので、鉢栽培のほうが無難である。剪定は不要。

室内で観賞する場合は直射日光を避け、カーテン越しで管理する。越冬時、部屋が暖かいとハダニが発生することがあり、葉が枯れるので早めに防除する。

植えつけ　春、暖かくなってから明るい樹冠下に。

施肥　地植えは不要。鉢植えは早春に置肥を。

ふやし方　実生で。園芸種は取り木や挿し木でふやす。

八重寒緋桜

寒緋桜《かんひざくら》

木本

バラ科サクラ属の落葉小高木

台湾から中国南部原産。水はけのよい陽地を好み、東京以南で栽培が多い。

鉢植えもできるが、多湿を嫌い、しかも乾燥に弱いので、栽培には気配りが必要となる。早く大きくなる種ではないので、暖地では地植えしても管理しやすい。

植えつけ　移植ともに花芽が動く落葉期の前が適期。

施肥　普通の庭では、枝伸びが極端に悪いとき以外は施肥の必要はない。

剪定　剪定はしないが、大きくなりすぎたら切り戻し、一年枝以外は切り口に塗布剤を塗っておく。

ふやし方　接《つ》ぎ木でふやす。

木豇豆《きささげ》

木本

ノウゼンカズラ科キササゲ属の落葉高木

中国原産種。日当たりのよい肥沃《ひよく》な場所を好むが、強健でかなりの寒暑や乾燥にも耐える。しかし葉が大きいことから、風当たりの強い場所を嫌う。

鉢植えは苗木作り程度で、花や実を観賞するのはむずかしい。枝の伸長を抑え、花や実をつける方法として、三月の根切り、不織布コンテナ植えにする、幹に二、三本の鋸目《のこぎりめ》を入れる環状剥皮《かんじょうはくひ》法などがある。

植えつけ　植えつけ、移植ともに落葉期がよい。

剪定　樹勢が強く、枝伸びがよいので、普通の家庭では強剪定せざるをえないが、強剪定にも耐える。

ふやし方　主に実生《みしょう》と挿し木による。

梔子《くちなし》

アカネ科クチナシ属の常緑低木

木本

暖地性のため、寒冷地では防寒が必要となる。水はけのよい陽地が望ましいが、半日陰でもよく育つ。香りがよい八重咲き種には実がつかない。

夏期、アゲハチョウ類の幼虫を早めに捕殺する。

植えつけ　春が適期。鉢植えで育てることもできる。

施肥　地植えではほとんど必要なく、鉢植えでは葉色を見ながら秋または春に少量を施す。

剪定　大きく伸びた枝を切り戻す程度。実つきがよいと枝はほとんど伸びない。

ふやし方　六～七月に挿し木、または種の果肉を落として採りまきする。

小楢《こなら》

ブナ科コナラ属の落葉高木

木本

水はけのよい陽地を好む。耐寒性があり乾燥にも耐えるため、日本各地に自生し、里山林を構成する主要な樹種となっている。

鉢での栽培も可能で、木が大きくなるにしたがい、大きめの鉢に替えると、水管理が楽で栽培しやすい。鉢栽培のほうが幼木でもきれいな紅葉が得やすい。

植えつけ　春が適期。日なたで栽培する。

施肥　夏秋期には肥料が切れるように春期に控えめに肥料を施すのがそのコツ。地植えの成木では必要ない。

剪定　強剪定は避ける。

ふやし方　採りまきで。種を乾かさないこと。

実葛

さねかずら

木本

マツブサ科サネカズラ属の常緑蔓性木本

美男葛《びなんかずら》ともいう。関東、東海、北陸以南に自生する。暖地性で、寒冷地では葉を落とす。日陰に耐えるが、実つきは半日陰以上がよい。一般に雌雄異株、ときに同株である。

植えつけ　春が適期だが、緑化用にポット苗が流通し、周年植栽される。また園芸用、茶花用として実つきの鉢ものが、量は少ないが流通している。地植えの仕立て方は垣根仕立てが管理しやすい。

施肥　春から冬に控えめに施す。地植えの成木では不要。

剪定　夏期は絡《から》みついて伸びすぎた枝を止める程度、冬から早春に混み枝を剪定、誘引する。

ふやし方　六～九月に雌株の枝を密閉挿しする。

花◎柏《かしわ》　実葛《さねかずら》
花入◎銀彩《ぎんさい》片身替《かたみがわり》花入　塚本誠二郎作
花を入れる人◎小林 厚

山査子《さんざし》

バラ科サンザシ属の落葉低木

木本

中国原産種。日当たりのよい適潤地を好む。耐寒性は強いが、逆に高温多湿な地方ではうまく育たない場合がある。地植えよりも鉢植えや盆栽に利用されてきた。

花や実の観賞性の面から、近年では西洋山査子とその園芸品種の流通が多い。乾燥すると葉の緑が傷みやすいので水切れを起こさないよう水やりに注意する。

植えつけ 落葉期に行う。

施肥 秋冬期に。春遅くの施肥は実つきに影響するので避ける。

剪定 伸びすぎた枝を切り戻し、混み枝を間引く。

ふやし方 実生《みしょう》または接《つ》ぎ木でふやす。

千両《せんりょう》

センリョウ科センリョウ属の常緑小低木

木本

本州の東海地方以西、太平洋岸域の暖地に自生し、やや湿った林内を好む。鉢植えにもできるが、実をつけるのにコツがいる。その場合、直射日光に当てないように半日陰で栽培する、水を切らさない、施肥を控えめにするの三点がポイント。

植えつけ 植えつけ、移植ともに三月。暖かくなってから、木の陰など明るい日陰に植える。

施肥 控えめにする。とくに窒素肥料が開花前後に効いていると実が落ちやすいので、施肥時期に注意する。

剪定 実がついた枝、古い枝を根元から切り除く。

ふやし方 実生または密閉挿しで。

衝羽根 つくばね

木本

ビャクダン科ツクバネ属の半寄生落葉小低木

東北地方の南部以南に分布し、痩《や》せた山地の、主に杉や樅《もみ》、栂《つが》などの木に半寄生して生える。雌雄異株。

衝羽根は正月用の花材として好まれるため、苗木は近年、通信販売でも扱われている。

植えつけ 苗木が入手できる春に行う。鉢植えでは寄生植物が生育するのにしたがい、毎年鉢替え、植え替えをする。

施肥 地植えでは、寄生した樹木が育つように初期には施肥をするが、その後は必要ない。鉢植えでは、施肥も控えめにする。

剪定 伸びすぎた部分を切除する程度で、ほとんど剪定しなくてよい。

ふやし方 他の樹木の幼苗の根元に種を採りまきするか、または挿し木する。

花◎曙椿《あけぼのつばき》 衝羽根《つくばね》
花入◎古銅下蕪形《こどうしもかぶら》一輪生
薄板◎真塗矢筈《しんぬりやはず》
花を入れる人◎武内範男

蔦《つた》

ブドウ科ツタ属の落葉蔓性木本

木本

全国の林地に自生し、樹木の幹や岩に這《は》い上がる。水はけのよい場所を好み、日陰に耐えるが、日当たりのよい場所で実つきがよく、紅葉する。

鉢植え栽培では、日なたに置いて水を切らさないこと、夏から秋に肥料が切れていることの二点が紅葉させるポイント。

ときにトビイロトラガの幼虫が葉を暴食することがあり、見つけたら早めに防除する。

植えつけ 春が適期だが、鉢植えのものは周年可能。ブロック塀などの壁面に這わせるのが、最も管理しやすい。

施肥 鉢植えの施肥は春のみ行い、地植えでは必要ない。

剪定 夏に伸び上がった枝や、地面を這う枝を切り除く程度。

ふやし方 実生《みしょう》または太枝の挿し木による。

花◎夏蔦《なつづた》　竜胆《りんどう》
花入◎備前耳付《びぜんみみつき》花入
薄板◎杉木地
花を入れる人◎武内範男

椿《つばき》

ツバキ科ツバキ属の常緑高木～低木

木本

自生種は青森県以南に分布する。太平洋側では藪《やぶ》椿、日本海側では雪椿、屋久島、沖縄に林檎《りんご》椿がある。やや暖地性で寒さを嫌い、日陰に耐えるが、水はけのよい陽地を好む。

●地植えの場合の植えつけ

植えつけ、移植は春の萌芽《ほうが》前がよい。暖地では秋にもできる。地植えではなるべく広く、大きく穴を掘り、少し盛り上げるようにして根鉢の二～三倍の大きさに植える。

樹高が一メートル以上で根鉢が大きいものは、表土と同じ高さでやや浅めに、ポット栽培の小苗の場合は、軟らかい土がだんだん沈み込むので二～三センチ深めに植える。

植え穴に八分目くらいまで土を戻したところで、どろどろになるように注水し、棒で突いて根鉢と庭土が密着するようにし、水が引く力で根鉢を固定する。水が引いたら土寄せして、ひび割れして乾くのを防ぐ。

施肥　根元に緩効性《かんこうせい》化成肥料などを控えめに施し、軽く土に混入する。成木には毎年の施肥は不要だが、痩《や》せ地では春、鶏糞《けいふん》などを根元に施す。

●鉢植えの場合の植えつけ

鉢植え栽培は比較的容易。ポイントは次の四点となる。

水はけのよい用土を使うこと。霜などで崩れにくい日向《ひゅうが》土と、硬質の鹿沼土を等量混合した土が最適。庭土や赤土では水管理がややむずかしくなる。その点、鹿沼土は乾いてくると色が変わるので、判断しやすい。

根の張りを考え、浅植えする。また用土を鉢の縁から一～二センチ下げてウォーター・スペースを確保し、水やりを容易にする。植え替えは一～三年ごとに行い、大きさに応じて鉢替えもする。

施肥　毎年三月に、緩効性化成肥料などを施す。いずれも控えめにする。施肥が遅れたり肥料が多いと、夏枝が伸びてしまい、花芽がつかなくなったり、病害虫を呼び込むことになるので注意する。

剪定　剪定は樹形を整え、生育を調節すると同時に、枝を透かして日光や風通しをよくすることにより、病害虫の防除の役も果たす。三～四月の萌芽前が適期で、花が終わったものから始める。

ひこばえ、徒長枝《とちょうし》から切り始め、樹形を整えながら混み枝や枯れ枝、ふところ枝を剪定、幹がちらちらと見える程度に枝を透かす。光や風雨が樹冠内に入ることにより、カイガラムシ類やチャドクガなどの寄生を相当に避けられる。

病害虫　最も嫌われるのはチャドクガで、地域や気候にもよるが、幼虫の発生は五月中下旬と八月下旬～九月上旬の二回、幼虫が群生している枝葉を見つけたら捕殺する。

少し大きくなると、枝を切る震動で糸を吐いて落下、逃げるので注意する。脱皮した抜け殻も触れるとかぶれるので、ついている枝葉を切り除いておく。手に負えないときは殺虫剤で防除する。

ふやし方　挿し木が手軽で、時期は七～九月。春に伸びた枝が固まりしだい、挿し木ができる。品種によっては三～四月の開花時期に、花を見てから挿し木することもできる。

挿し木する穂木は、枝先の長さ一〇センチ前後、葉を二枚つけてそれぞれ半切りにし、発根剤をつけて、吊り鉢を利用する密閉挿し（一八二ページ参照）が最も簡便。二～三か月後には鉢揚げできるが、家庭では液肥を与えて翌春に鉢揚げするほうが無難。接《つ》ぎ木すると花つきは早い。

白侘助

胡蝶侘助

白玉

藪椿

西王母

紅侘助

卜伴

吊花《つりばな》

木本

ニシキギ科ニシキギ属の落葉低木

全国の低山の林縁地に普通に生える。半日陰にも耐えるが、水はけのよい陽地を好み、陽地のほうが紅葉しやすい。

鉢植えで育てることもできるが、地植えのほうが育てやすい。鉢植えでは開花期に水を切らさないこと。

植えつけ　植えつけや移植の適期は落葉期。

施肥　開花前後に施肥しないことが肝要。地植えの成木では施肥はとくに必要ない。

剪定　伸びすぎた枝を切り戻す程度であまり必要ない。

ふやし方　実生《みしょう》で秋に採りまきするほか、五月下旬～六月に密閉挿しができ、挿し木で得られた苗は実生の苗に比べ、花も実もつくのが早い。

花◎金水引《きんみずひき》　朮《おけら》　吊花《つりばな》
花入◎＝時代竹やつれ掛花入
花を入れる人◎田中昭光

蔓梅擬《つるうめもどき》

ニシキギ科ツルウメモドキ属の落葉蔓性木本

木本

全国の暖地の林縁や林地に、他の樹に絡《から》みついて自生する。半日陰に耐えるが陽地を好み、秋の黄葉は陽地のもののほうが美しい。雌雄異株で、雄株には実がつかないので、植栽の際は注意する。

植えつけ　植えつけ、移植ともに落葉期がよいが、流通する挿し木ポット苗は周年、植栽できる。鉢栽培では、やや大鉢で行灯《あんどん》仕立てにすると管理しやすい。

施肥　地植えでの施肥はとくに必要なく、鉢植えでは開花期前後の施肥は落果しやすいので避ける。

剪定　落葉期に混み枝を整理する。

ふやし方　雌株の枝を五～七月に密閉挿しする。

満天星《どうだんつつじ》

ツツジ科ドウダンツツジ属の落葉低木

木本

近畿地方以北の明るい林内、林縁に自生が見られ、日本全国で栽培される。酸性土壌を好み、落葉樹としては耐陰性、耐乾性ともに強いが、花つきや紅葉は陽地の適潤地がよく、高冷地で鮮やかとなる。

鉢植えもできるが、強く乾かすと葉が傷み、紅葉の美しさを損なう。

植えつけ　植えつけ、移植ともに落葉期がよい。

施肥　夏秋期に肥料が切れていると紅葉がよいので、化成肥料を春に少量施す。

剪定　生け垣仕立てでは、花後に樹形を整える程度に。

ふやし方　五月下旬に密閉挿しで。

夏櫨 なつはぜ

木本

ツツジ科スノキ属の落葉低木

日本全国の低い山地に分布し、日当たりのよい林地、林縁に自生する。また適潤な酸性土を好む。

鉢植えで育てることもできる。用土に鹿沼土やピートモスなどを配合し、一～二年おきに植え替える。

植えつけ　植えつけ、移植ともに適期は落葉期であるが、水分補給が十分であれば、時期を選ばない。

施肥　三月に緩効性《かんこうせい》化成肥料などを施すが、紅葉を美しくするには、夏秋期に肥料が切れるように控えめに。

剪定　混み枝を間引く程度。

ふやし方　実生《みしょう》または六月に密閉挿しで。実生床は冬に乾燥させないこと。

南京櫨 なんきんはぜ

木本

トウダイグサ科ナンキンハゼ属の落葉高木

中国の中南部原産。やや暖地性で生長が早く、平地でよく紅葉する。日本では臘《ろう》採取の目的で栽培された。

鉢植えで育てることもできる。水切れさせないことが大事。枝が軟らかく、折れやすいので、注意する。病害虫は少ないが、ときにミノムシが発生する。

植えつけ　植えつけ、移植ともに三月の萌芽前がよい。

施肥　鉢植えでは枝の伸長が大きいので、肥料は控えめに。春に施肥して夏から秋に肥料切れになるようにすると、紅葉が鮮やかとなる。

剪定　強剪定《きょうせんてい》にも耐える。

ふやし方　実生で。鉢植えでは毎年植え替えをする。

錦木《にしきぎ》

ニシキギ科ニシキギ属の落葉低木

木本

日本全国の山地の林内に自生する。半日陰に耐えるが、日当たりのよい適潤地を好む。

鉢植えで育てることもできる。鉢植えでは、日当たりのよい場所で栽培し、水切れをさせないこと。

ときにカイガラムシがつくので、早めに掻《か》き落として防除する。

植えつけ　落葉期に。比較的細根が多く、移植も容易。

施肥　春の施肥を控えめにすることが紅葉をよくするポイント。地植えの成木では、施肥の必要はない。

剪定　刈り込みや強い剪定に耐え、よく萌芽する。

ふやし方　六月に密閉挿しで。

榛《はしばみ》

カバノキ科ハシバミ属の落葉低木

木本

実の形がユニークな近縁の角榛《つのはしばみ》とともに、日本中の山地や丘陵に自生する。半日陰にも耐えるが、日当たりのよい場所を好む。植木としての流通は少ない。

葉を食害するハンノキハムシや、幹に食い込むボクトウガに注意する。

植えつけ　移植とともに落葉期がよい。鉢植えで育てる場合は地植え同様に株立ち状に仕立てる。実つきをよくするためには、日当たりのよい場所で育てること。

施肥　控えめに秋冬に行うが、地植えの成木では不要。

剪定　伸びすぎた枝は小枝のあるところまで切り戻す。

ふやし方　実生で。

榛の木《はんのき》

カバノキ科ハンノキ属の落葉高木

木本

日本中の低湿地や湿原、地下水位の高い陽地に自生する。植木としての流通は少ない。茶花には晩秋の紅葉と果穂のほか、春の房状に垂れ下がる花も好まれる。

鉢植えは不可能ではないが、苗木を育てる程度に。乾燥させないことがポイント。ときにハンノキハムシに葉を暴食されることがあるが、枯れることはない。

植えつけ 植えつけ、移植ともに落葉期に行う。

施肥 地植えでは必要ない。鉢植えでは施用。

剪定 ほとんどしない。とくに実をつけるのが目的の場合は、剪定は不要。

ふやし方 実生《みしょう》による。

総桜《ふさざくら》

フサザクラ科フサザクラ属の落葉高木

木本

本州から九州の湿った谷沿いに自生する。路傍や崩壊地などの瘦《や》せ地にもよく生える。半日陰に耐えるが、陽地で実つきや紅葉がよくなる。土質はとくに選ばない。観賞樹としての生産はほとんどないので、実を入手して育てる。鉢植えにもできるが、乾くと葉が著しく傷むので水切れに注意する。

植えつけ 植えつけ、移植ともに落葉期がよい。

施肥 鉢植えでは秋冬期に、地植えでは必要ない。

剪定 伸びすぎた枝を自然に切り戻す程度。

ふやし方 採りまきで。種子を乾かさないようにすることが、発芽をよくするコツ。

茶花には蕾《つぼみ》を用いることが多い。右は春に咲く花

真弓《まゆみ》

木本

ニシキギ科ニシキギ属の落葉小高木

雌雄異株で日本全国の暖帯および温帯の地に普通に生える。半日陰に耐えるが、水はけのよい肥沃《ひよく》な陽地で大きく育ち、実つきがよくなる。

植えつけ　植えつけ、移植ともに落葉期がよい。鉢植えにもできるが、大鉢で栽培したほうが管理しやすい。

施肥　肥料は一～二年ごとに、三月の植え替え時に与える。油粕《あぶらかす》などの有機質肥料か、緩効性《かんこうせい》の化成肥料を控えめに施す。地植えの成木では必要ない。

剪定　大きくなりすぎた場合は必要に応じて切り戻す。

ふやし方　実つきのよい雌株や白実などの園芸種を選び、密閉挿しまたは接《つ》ぎ木による。

万両《まんりょう》

木本

サクラソウ科ヤブコウジ属の常緑低木

土質はとくに選ばないが水はけのよい肥沃地を好み、明るい日陰地で生育がよい。

植えつけ　鉢植えの観賞後の庭への定植は、厳寒期を除き周年可能。地植えのものを移植、または鉢揚げする場合は、根をある程度切り縮める。葉を除くように、幹を一定の高さまで切り戻しておくと着実に活着する。

施肥　庭植えでは植栽時に施用。鉢植えでは秋冬期に緩行性肥料を置き肥する。

剪定　高く伸びすぎたら必要な高さまで切り戻す。

ふやし方　通常は採りまきの実生で、園芸種は挿し木か取り木でふやす。

紫式部《むらさきしきぶ》

木本

シソ科ムラサキシキブ属の落葉低木

日本各地の低い山地や平野に自生。水はけのよい肥沃《ひよく》な陽地を好む。「紫式部」の名前で流通が多いのは、近縁種でやや暖地性の小《こ》紫式部、これの白実の品種、白式部の三種で、ともに小型で実つきがよいため、鉢植えや庭木としての利用が多い。

植えつけ　植えつけ、移植ともに落葉期がよい。鉢植えからの地植えはいつでも可能。一年を通じて水切れさせないことが大事。

施肥　鉢植えは三月の植え替え時に施肥するが、肥料の多用は避ける。地植えでは肥料はほとんど必要ない。施肥する場合は秋から冬に行う。

剪定　剪定はさしつかえない限り控え、必要に応じて短い枝のところまで自然な風情に切り戻す。小紫式部は枝が混みやすいので、間引きながら冬に切り戻す。

ふやし方　実生《みしょう》か挿し木で。実つきの枝でも挿し木ができる。

花◎白侘助椿《しろわびすけつばき》　紫式部《むらさきしきぶ》
花入◎春日社 油次《あぶらつぎ》　無窮庵旧蔵
敷板◎古代春日杉
花を入れる人◎田中昭光

目木《めぎ》

メギ科メギ属の落葉低木

木本

東北地方の南部以南の山地や丘陵の林縁などに自生する。葉の美しい品種が流通する。鉢での栽培は容易。水切れに注意する。刺《とげ》があるため、地植えする場合は植える場所を考慮する。また日陰ではウドンコ病にかかりやすいので、日なたで栽培することもポイント。

植えつけ　園芸種は鉢苗なので植えつけは周年できる。

施肥　果実を目的とする場合は多肥を避け、とくに開花期前後に施肥をしないように注意する。

剪定　大きくなりすぎたら、必要な大きさに切り戻す程度とする。

ふやし方　実生または挿し木で。

紅葉《もみじ》

ムクロジ科カエデ属の落葉小高木〜高木

木本

「紅葉」の名はカエデ属植物の総称として使われるが、伊呂波《いろは》紅葉（伊呂波楓《かえで》とも）の別名でもある。半日陰に耐えるが、日当たりのよい適潤地を好む。

鉢植えでも容易に育つ。強い風に当てたり、乾かして葉を傷めないようにすることがポイント。水切れには注意する。

植えつけ　植えつけ、移植ともに落葉期がよい。

施肥　苗木育生時には鶏糞《けいふん》などを根元付近に少量施用。

剪定　混み枝や徒長枝《とちょうし》を整理する。強剪定《きょうせんてい》は避ける。

ふやし方　園芸種は接《つ》ぎ木、基本種は採りまきでふやす。種は発芽まで乾かさないことが大事。

伊呂波紅葉

柳《やなぎ》

ヤナギ科ヤナギ属の落葉低木〜高木

木本

柳は数多いヤナギ類の総称名。共通する特性は湿地に耐え、日当たりのよい適潤地を好むことである。茶花で正月に好まれる枝垂《しだれ》柳は中国原産で、赤芽《あかめ》柳（流通名は振袖《ふりそで》柳）とともに広く栽培される。猫柳や黒柳、行李《こうり》柳などは日本中に分布し、渓流沿いに自生が見られる。スタンダード仕立てのコンテナもので流通するのは犬行李柳の「白露錦」（生花での流通名は白露柳）で、新芽が桃色から白、クリーム色と変化する。ガーデニングに利用が多い。

●植えつけ・移植

植えつけ、移植は落葉期がよいが、葉のある時期でも強剪定《きょうせんてい》すれば移植できる。

鉢で育てることもできる。ただし枝垂柳は大きな容器と支柱が必要となるので、地植えが望ましい。鉢植えの用土はとくに選ばない。夏の乾燥には弱いので、水やりには注意する。水受け皿を置くとか、鉢を半分地中に埋め込んで鉢底から根を出した状態にする、不織布コンテナで植えるなどの工夫をする。

●病害虫

柳類につく病害虫は多いが、防除が必要なものの一つにサビ病がある。赤芽柳は株が古くなると、湿りけの多い場所では五月から六月にかけて、葉にサビ病が発生する。

またハムシ類は五〜八月に、ヒメコガネ、マメコガネは六〜九月に発生し、葉を暴食する。早めに駆除するか、殺虫剤で防除する。樹幹に食い込むゴマダラカミキリムシやゴマフボクトウガ、コウモリガなどは虫糞を見つけしだい、殺虫剤を穴に注入する。

施肥　肥料は春に、芽出し肥として速効性の化成肥料を与える。遅く伸びた枝は花芽がつかないので、赤芽柳など花芽が必要なものは、八月までに枝の伸長が止まるのが望ましい。

剪定　冬から春に行う。枝垂柳など、長い枝を必要とする場合は樹高二〇〜三〇センチ程度に強剪定し、新芽の数を制限する。毎年、一年枝を同じ位置に切り戻すことを「台作り」といい、この方法は管理がしやすい。

ふやし方　挿し木で。三月に枝の先の部分を除き、二〇〜三〇センチの長さにしたものを軟らかくした庭土に直接二分の一から三分の二差し込む。鉢に挿す場合は、挿し穂を短くする。

赤芽柳

犬行李柳

枝垂柳

猫柳

藪柑子 やぶこうじ

サクラソウ科ヤブコウジ属の常緑小低木

木本

日陰によく耐えるが、明るい日陰地で実つきがよい。明るい日陰に置けば鉢栽培も容易である。

防除が必要な褐斑病《かっぱんびょう》は、新葉が展葉する前に病葉《わくらば》を取り除く。ハマキムシ、ワタカイガラムシの被害も出るので、早めに捕殺する。

植えつけ　鉢苗が流通し、植えつけは周年可能。水はけがよければ用土を選ばないが、腐葉土を多めにする。

施肥　鉢植えでは多肥を避け、着果が確実になった八月以降に緩効性《かんこうせい》の化成肥料などを控えめに施す。

ふやし方　実生《みしょう》または挿し木、根挿しが簡単。実つきの枝も挿し木できる。

藪山査子 やぶさんざし

スグリ科スグリ属の落葉低木

木本

日当たりのよい適潤地を好む。雌雄異株で、樹の張りおよそ一メートルの株立ちになる。

鉢植えもできるが、乾くと葉が傷みやすいので、夏の水やりに注意する。

植えつけ　植えつけ、移植ともに落葉期がよい。植え替えは一年おきに行う。

施肥　二〜三月に有機質肥料か緩効性肥料を控えめに。

剪定　あまり行わない。根元から枝が出やすいので、混み枝の弱小枝を整理し、ときに古い枝と更新する。

ふやし方　雌雄の株を確認し、五月下旬〜六月に密閉挿しする。

令法《りょうぶ》

リョウブ科リョウブ属の落葉小高木

木本

北海道南部から九州まで分布し、乾いた林内や尾根筋など、水はけがよく、日当たりもよい場所に生える。

花や幹肌の観賞性が高いので庭植えに適し、鉢栽培には向かない。ただし、黄葉だけのものであれば苗木の鉢栽培は可能である。その場合は肥料を控えること、乾かして葉を傷めないことに注意する。

植えつけ　植えつけ、移植ともに落葉期がよい。

施肥　鉢植えでは施用。地植えでは必要ない。

剪定　あまり必要なく、ひこばえや胴吹き枝、伸びすぎた枝などを除く程度とする。

ふやし方　実生による。

夏〜秋に白い花をつける

照り葉が炉の茶花に好まれる

臘梅《ろうばい》

ロウバイ科ロウバイ属の落葉低木

木本

中国原産。温暖で水はけがよく、肥沃《ひよく》な日なたを好み、風当たりの強い場所を嫌う。花の芯まで黄色い素心《そしん》臘梅が好まれ、流通も多い。ときに素心臘梅の接《つ》ぎ木台芽が伸びて、花芯が暗紫色の花が見られる。

植えつけ　植えつけ、移植は落葉期がよい。三〜五本程度の幹立ち仕立てにし、ひこばえは早めに切り除く。

施肥　鉢植えでは毎年花後に植え替え、油粕《あぶらかす》などの玉肥、または緩効性化成肥料の施肥を十分にする。

剪定　花がつかない育成枝は、翌年に花がつく母枝になるので剪定しない。

ふやし方　実生による。園芸品種は接ぎ木する。

臘梅

素心臘梅

烏瓜《からすうり》

多年生蔓性草本　ウリ科

草本

雌雄異株で、雌株は少ない。そのため実が目的である場合は、株の入手時に注意しなければならない。また蔓の伸張が激しいので、登らせる場所を初めから考えておかないと作れない。

地下に巨大な塊根をもっており、入手はこの塊根で。株分けはできない。用土はとくに選ばない。水やりは朝一回程度とする。

植え替え　発芽前の早春に。

ふやし方　親株の塊根の周りに小型の塊根ができることがあり、見つかればこの塊根を使う。種をまくと発芽はよいが、結実までに三年くらいかかる。

寒菊《かんぎく》

多年生草本　キク科

草本

各種の菊のなかで最も遅く咲いてくるものの一つ。中部以西の開けた山裾などに生える。霜に当たり葉が紅《あか》くなったものを茶花では好む。

日当たりのよいところで育てる。高さが五〇～六〇センチになるので、本来は地植えが適する。鉢であれば、かなり大型の鉢を使いたい。プランターでもよい。水やりは朝一回を目安とする。

植え替え・株分け　早春に。

用土　普通の園芸用土で十分。

ふやし方　冬至《とうじ》芽を分けるのが普通だが、挿し木でも簡単にふやすことができる。その場合は五月に行う。

花◎寒菊《かんぎく》　梅擬《うめもどき》

花入◎インドネシア・モンタワエ島籠

花を入れる人◎小林 厚

吉祥草《きちじょうそう》

草本

多年生草本　キジカクシ科

関東以西のやや暗い、湿りけの多い林床《りんしょう》に生える。かなり丈夫で、地植えに適する。プランターでも育てることはできるが、それほど手をかける種類でもないのではなかろうか。

光を半分以下にしないと、葉焼けしやすい。花を咲かせたければ、葉焼けに注意しつつ光を多くし、乾燥させないように注意する。

用土　土質はとくに選ばないが、腐植の多い土が適している。

ふやし方　遊走枝（ランナー）を出してふえていくので、その先にできる子株を分けてふやす。

クリスマスローズ《くりすますろーず》

草本

多年生草本　キンポウゲ科

クリスマスの頃に咲くヘレボルス・ニゲルと、春に咲くヘレボルス・オリエンタリス（レンテンローズ）があり、日本で栽培されているものはこの両者の交配種がほとんど。開花期が十二月頃のものから四月頃に咲くものまで、連続的に存在する。

栽培するのは冬期は日が当たり、高温期は明るい日陰になるような場所に。鉢植えでは七号以上の鉢にする。用土、肥料、水やりは一般園芸植物と同じ。

植え替え・株分け　晩秋十一月頃。

ふやし方　種まきで。五月頃、種が採れたらすぐにまく。発芽率がよいが、開花までに三年かかる。

石蕗《つわぶき》

草本

多年生草本　キク科

海岸の岩場などに多い大型の草。自生地では日の強いところに生えているが、栽培する場合は普通、半日陰の場所に地植えする。鉢植えも可能で、小型の鉢に植えれば、小さな葉になる。ただし小型の鉢にすると、花が咲きにくい。

明るくするほうが花つきはよくなるが、強すぎると葉の美しさが減る。斑《ふ》入り種は、夏場に強い日を当てると焼けるので注意する。

植え替え　寒と夏の土用を除けばいつでもできる。

用土　水はけのよいものであれば、何でもよい。

ふやし方　株分けで。

水仙《すいせん》

草本

多年生草本　ヒガンバナ科

中国から渡ってきたものと思われている。

球根の販売は秋にされるが、移植そのものは六月に。なるべく日当たりのよい場所に地植えする。鉢植えにもできる。用土は選ばない。

花が咲いたあと葉が長く伸びるので、これを大切にし、よく日に当てる。

植え替え　混みすぎると花が咲かなくなるので、三年に一度くらい掘り上げて球根を分け（分球）、植え替える。六月下旬、葉が枯れたすぐあとがよい。

ふやし方　分球したのち、乾燥させないですぐに植えつけることが大事。間隔をとり、球根の上に土が二〇センチくらいかかるように深く植える。

花◎水仙《すいせん》　衝羽根《つくばね》
花入◎胡銅《こどう》花器
敷板◎真塗《しんぬり》 蛤《はまぐり》 端《ば》
花を入れる人◎小林 厚

鵯上戸《ひよどりじょうご》

多年生蔓性草本　ナス科

草本

古い蔓のかなりの部分が枯れずに残り、その途中から新しい芽が伸びてくる性質がある。蔓は長く伸びて自分の好きなところに葉を広げる。したがって、育てるときは地植えにし、勝手に生け垣に登らせるのがよい。

短く作るにはその年伸び出した蔓を五月後半に切り、挿し木して簡単な行灯《あんどん》に絡《から》ませる。

水やりは普通で朝一回やる程度。日当たりは十分に。

用土　一般園芸用土でよい。

ふやし方　株分けはできないので、種をまくか、挿し芽による。種は春にまく。

福寿草《ふくじゅそう》

多年生草本　キンポウゲ科

草本

きわめて浅いところで、針金のような根を横に広く広げる草で、二月から五月中頃までしか葉がない。根が横に広く張るので鉢で長期間維持するのはむずかしく、冬日の当たる場所に地植えしたほうがよい。三月半ばからは半日陰にする。夏は休眠中といえども、土の温度を低く保ちたい。

植え替え　必要があれば、根が動き出す十一月に芽を見て、花芽が現れる前に掘り上げる。

ふやし方　株分けで。株は固まっているので、ドライバーのようなもので割るようにして分ける。根はできるだけ切らないように。

茶花の育て方の基本

花木の育て方の基本

花木の栽培環境を整える

指導　岡部　誠

小さな苗木であったものがすくすくと伸び、枝を張り、ようやくにして花芽をつけると、やがてかたい蕾《つぼみ》が顔を出します。その蕾が日ごとにふくらんでほころび、いよいよ花冠《かかん》を開くそのときのうれしさ、愛おしさ。それは花木《かぼく》を育てる最大の楽しみといえます。

　花木が健全に生長し、美しく花や実をつけるためには、栽培の環境を整えることが大切です。半日陰を好む樹種もありますが、一般には日当たりがよく水はけのよい場所で、水分や肥料分を保ちやすい肥沃《ひよく》な土に植えることが望まれます。

　そしてさらに、花木の種類によっては、それぞれの樹種に合った気候や土壌などの環境が必要となります。庭への直《じか》植えではその木の好む環境が得られない場合、鉢植えが可能であれば鉢に植えて、できるだけ条件のかなう場所に置くなどの工夫も必要でしょう。

日当たりをよくする

花芽を作る養分は光合成によって得られます。そのため花木はできるだけ日当たりに植えることが望まれます。日当たりは、限られたスペースの庭ではなかなかむずかしいのですが、一般に少なくとも一日四時間くらいは欲しいものです。日なたを好むもの、半日陰でも大丈夫なものなど、樹木の特性に応じた配植を行い、日当たりがよくない場合は枝を整えたり、剪定《せんてい》するなど、必要に応じての配慮が必要となります。

　鉢植えの場合も同様に樹種の特性に合わせて配置し、日当たりが十分でないものは鉢を移動するなどして、できれば午前中からの日を当てるようにします。

　午後の日射ししか得られないところでは、乾きすぎないように水やりや株元の土の表面を覆うマルチングなどに留意する必要があります。

排水の悪い庭の改良

庭の環境を変えることは大仕事ですが、植栽に向かない環境では、せっかく植えた植物がかわいそうです。日当たりは周囲との兼ね合いでそうそう変えることはできないものの、排水が悪い場合はいくつかの方法で改善し、水はけをよくすることができます。

　高台にあって一見、地表の排水がよくても、造成地では土が硬く、掘った植え穴に水が溜まり、植物が枯れやすくなります。その場合、庭全体を深さ三〇〜四〇センチくらい耕し、庭全体に傾斜をつけたり、さらに必要に応じて排水溝を掘り、大粒のパーライトなどを埋め込んだりして排水をはかります。

　掘り上げた土などで盛り土にし、その上に木を植えます。盛り土は三〇〜五〇センチあれば、たいていの樹木は問題ありません。

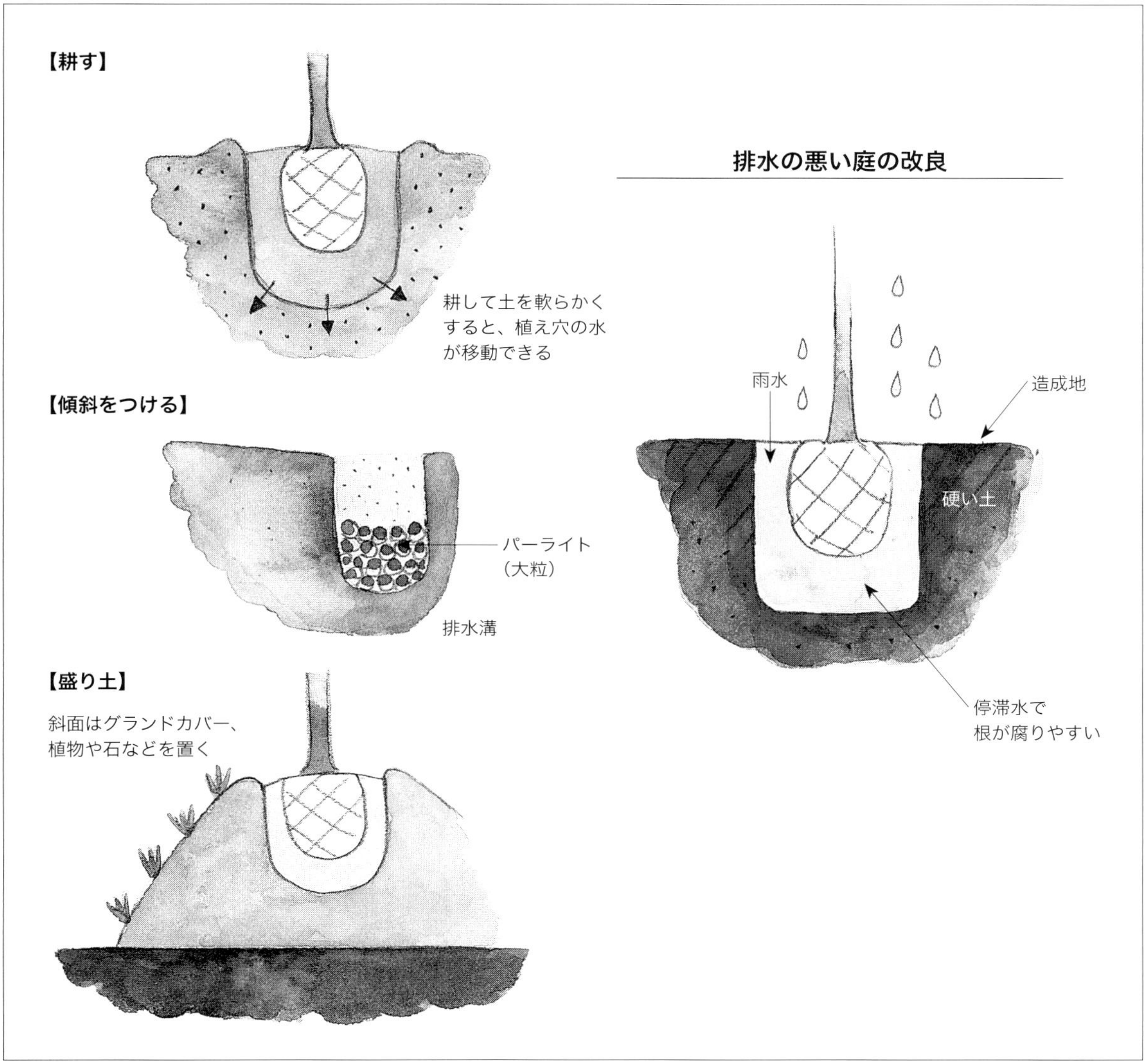
【耕す】
耕して土を軟らかくすると、植え穴の水が移動できる
【傾斜をつける】
パーライト（大粒）
排水溝
【盛り土】
斜面はグランドカバー、植物や石などを置く
排水の悪い庭の改良
雨水
造成地
硬い土
停滞水で根が腐りやすい

椿の開花と気温の関係

椿は品種が多く、開花時期も早いものでは九月、十月から咲き始め、遅いものでは四月いっぱいと、ひじょうに長い期間にわたります。夏の暑い時期に花芽の分化、形成が行われ、早いものでは、六月にはすでに花芽分化が始まります。

同じ頃に花芽をつけながら早く咲くものと遅く咲くものとがあるのは、遺伝子や蕾の発達の違いによるものです。春に咲く椿は秋咲きに比べ眠りが深く、その眠りのための長い低温期間を必要とします。低温とは、樹木が生理的にある程度は活動できる七～八度です。

そのため未発達で眠りの深いものを、早く咲かせようと暖かい室内に入れても、開花のための準備が調《ととの》っていないので、うまく咲くことができません。蕾のままぽとっと落ちたりします。

それでも一定期間、低温にあってから暖かくすると、開花を早めることができます。地植えでは蕾の頭に色が出始めたときに切り、屋内で水挿ししておくと、寒さにやられないので美しく、また遅れた蕾も発達して早く咲かせることができます。

開花パターンと年間栽培管理

花木の栽培では、花芽がつく時期により管理作業、とりわけ剪定《せんてい》時期が限定されることになります。手当ての時期をたがえれば、当然のことながら生長や花芽のつき方に影響してきます。

花木の大まかな開花パターンと留意する管理作業は次のとおりです。育てる花木がどのパターンに属するのかを知り、時々の適切な手入れを行うようにします。

春～夏に花芽分化、年内に開花するタイプ

●ムクゲ型

春から伸びる枝に花芽ができます。したがって、剪定時期の十二～三月にどのような切り方をしても、必ず花がつきます。

肥沃《ひよく》な適潤地で栽培すると生育がよく、花の期間が長くなります。追肥と盛夏の水やり効果が大きいタイプです。

種子をつけないように、花後の花《はな》殻《がら》を摘むと花芽が再生しやすくなります。

夏～秋に花芽分化、翌春開花するタイプ

●ウメ型

花芽の分化時期は七月下旬～八月。六月までに伸長が停止した枝の葉腋《ようえき》に花芽がよくつきます。伸び続ける徒長枝《とちょうし》には花芽がつきにくく、弱小枝の葉を落とすため、早めに徒長枝を元から切り取ります。

家庭での剪定は花後、すぐに行います。多肥や強剪定は避けます。

春期のアブラムシやケムシ類の被害は花芽形成に大きく影響するので、見つけたらすぐに防除します。

●ツツジ・サツキ型

花芽の分化は七～八月、枝先に蕾《つぼみ》を形成します。刈り込み剪定は花後、なるべく早めに行います。

蕾がつくのを阻害するベニモンアオリガの幼虫は新芽の先や蕾ばかりを食べ、チュウレンジハバチの幼虫も葉を暴食するため、早めの防除が必要です。吸汁されて葉が変色するホコリダニ、ハダニ、グンバイムシにも要注意です。

夏遅くまで、枝伸びする原因となる施肥や剪定《せんてい》は避けます。

●アジサイ・バイカウツギ型

花芽の分化は秋期、比較的上部の芽によくつきます。

枝を切り戻す剪定は七月末くらいまでに終える必要があります。

アジサイ属の仲間、糊空木《のりうつぎ》やアメリカノリノキ「アナベル」の花芽分化は翌春の新芽の先に形成されるので、春に強剪定しても花がつきます。

夏に花芽分化、秋～翌春開花するタイプ

●ツバキ・サザンカ型

春伸びた枝先に花芽ができ、年内から翌春にかけて開花します。開花時期が早いものは蕾の形成も早いのが特徴です。整枝・剪定は花後、または四月の萌芽《ほうが》前に行います。

夏伸びした枝には花芽がつきにくく、病害虫に侵されやすくなります。強剪定、剪定時期の遅れ、多肥には注意する必要があります。春の芽出し期の施肥は蕾をたくさんつかせるのに有効です。

●ムクゲ型

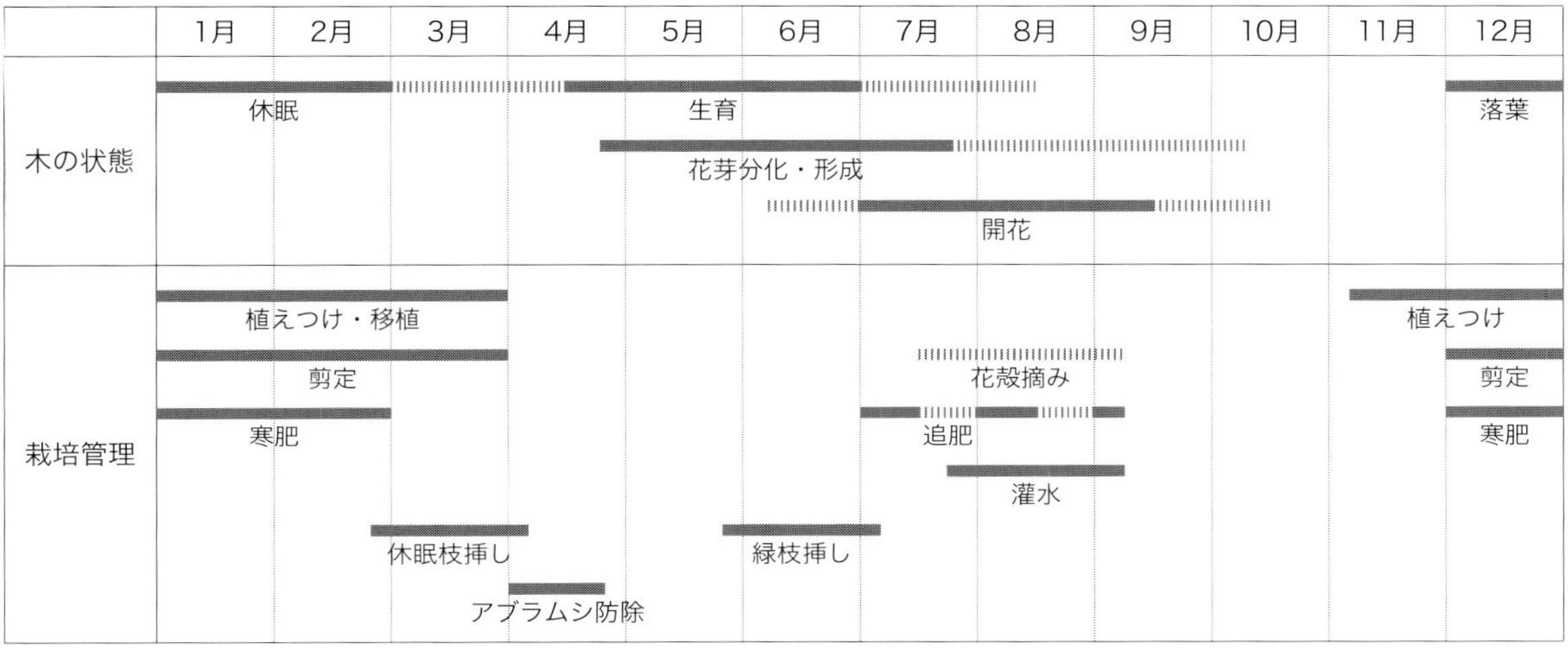
1月
2月
3月
4月
5月
6月
7月
8月
9月
10月
11月
12月
木の状態
休眠
生育
落葉
花芽分化・形成
開花
栽培管理
植えつけ・移植
植えつけ
剪定
花殻摘み
剪定
寒肥
追肥
寒肥
灌水
休眠枝挿し
緑枝挿し
アブラムシ防除

暑いときの花木の手当て

夏の直射日光は、ベランダなどでは太陽の位置が高くなると射し込まないからいいのですが、午後からの日射しは避けたほうがよいでしょう。避けるのが無理なら、何かで遮って半日陰を作ります。理想的には五〇パーセントの光がちらちら入ってくるくらい。真夏であれば、三〇パーセントの光でも十分です。

　こうした遮光《しゃこう》のための「遮光資材」として、ビニールテープを織ったテープ織りネット（寒冷紗《かんれいしゃ》の一種）がガーデンセンターなどで売られています。編目が三〇パーセント（白色）、五〇パーセント（黒色）、七〇パーセント（黒色）とあり、庭やベランダの環境により選びます。

　よく葦簀《よしず》も用いられますが、よほど強い夏日以外は、葦簀は暗くなりすぎてしまいます。

　日中はちらちらと光が入り、朝夕に日が差し込むという条件を作れると最高なのですが、基本的には水切れさえなければ大丈夫です。紫陽花《あじさい》などは水受け皿をあてるとよいでしょう。

　また夏場は鉢を少し持ち上げてやると、空気が通るので暑熱を緩和できます。ベランダでは、簀《す》の子を敷くのもよい方法です。

●ウメ型

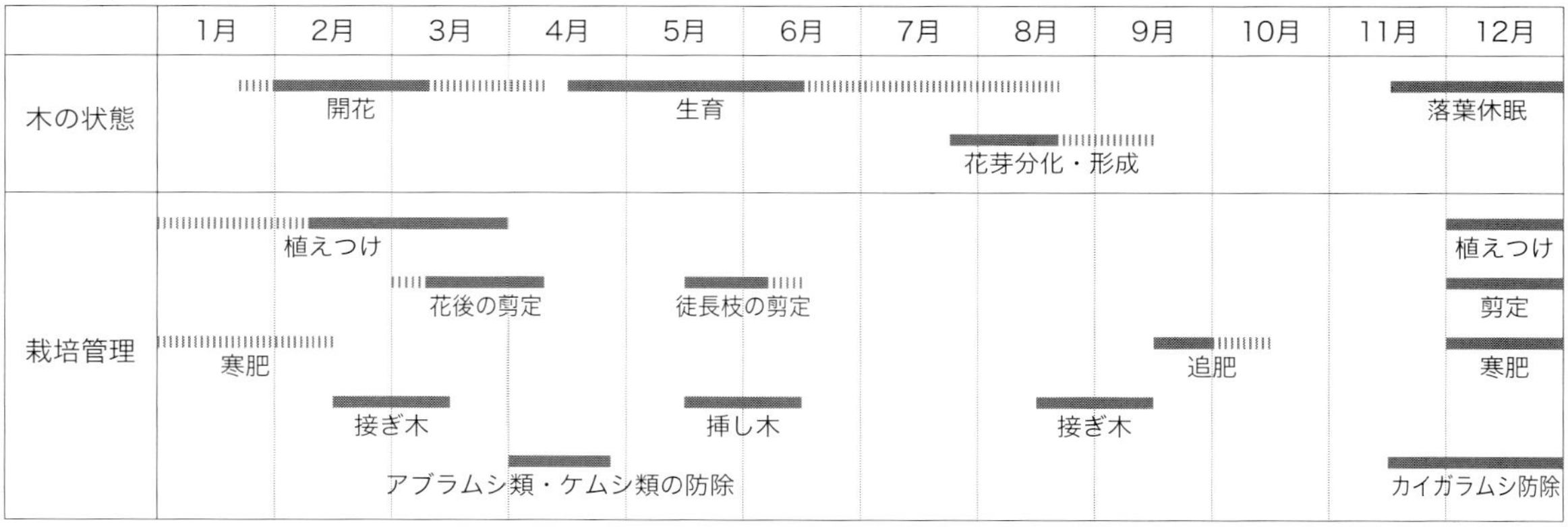
1月
2月
3月
4月
5月
6月
7月
8月
9月
10月
11月
12月
木の状態
開花
生育
落葉休眠
花芽分化・形成
栽培管理
植えつけ
植えつけ
花後の剪定
徒長枝の剪定
剪定
寒肥
追肥
寒肥
接ぎ木
挿し木
接ぎ木
アブラムシ類・ケムシ類の防除
カイガラムシ防除

●ツツジ・サツキ型

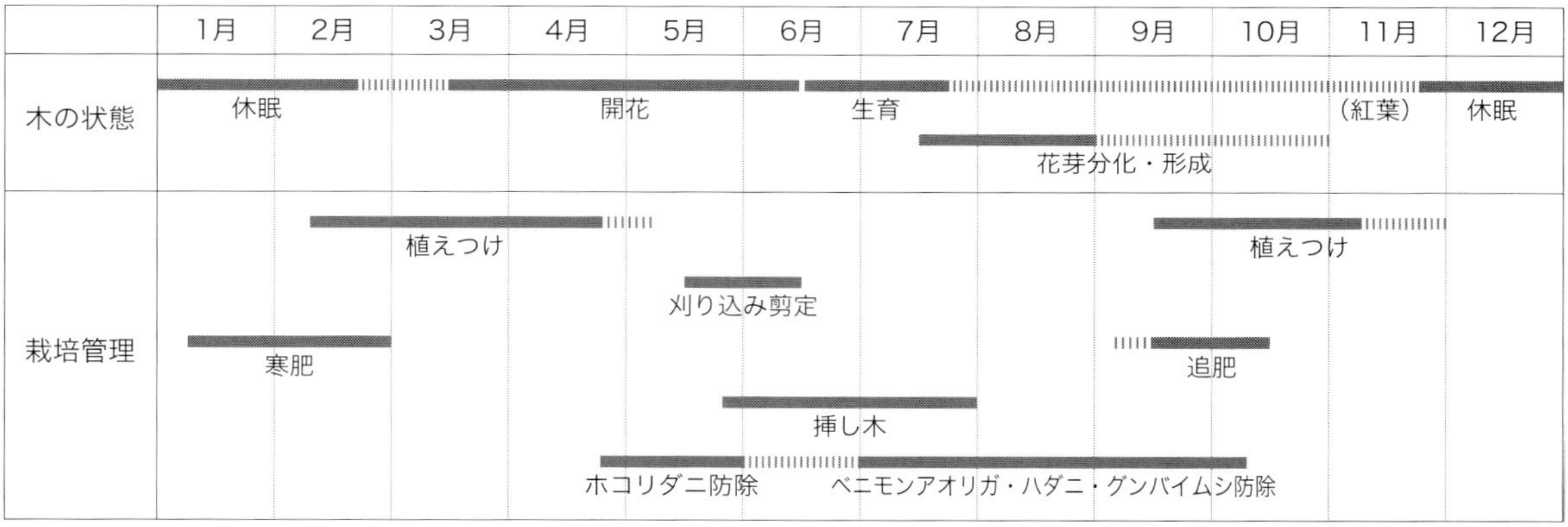
1月
2月
3月
4月
5月
6月
7月
8月
9月
10月
11月
12月
木の状態
休眠
開花
生育
（紅葉）
休眠
花芽分化・形成
栽培管理
植えつけ
植えつけ
刈り込み剪定
寒肥
追肥
挿し木
ホコリダニ防除
ベニモンアオリガ・ハダニ・グンバイムシ防除

●アジサイ・バイカウツギ型

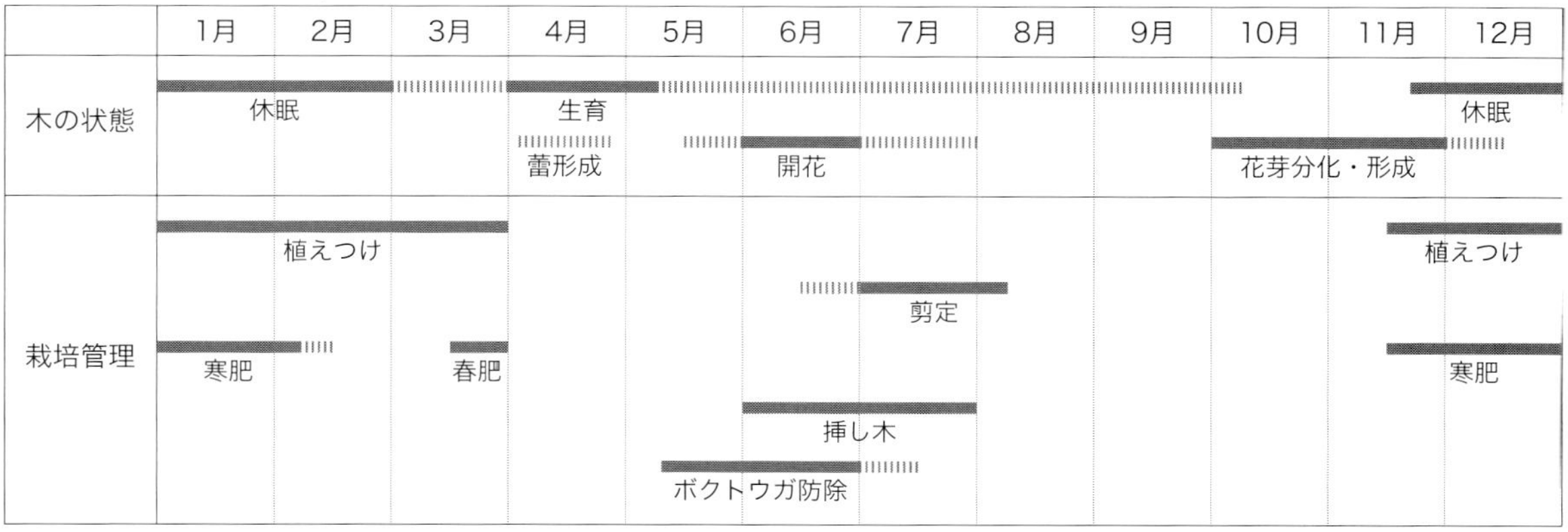
1月
2月
3月
4月
5月
6月
7月
8月
9月
10月
11月
12月
木の状態
休眠
生育
休眠
蕾形成
開花
花芽分化・形成
栽培管理
植えつけ
植えつけ
剪定
寒肥
春肥
寒肥
挿し木
ボクトウガ防除

●ツバキ・サザンカ型

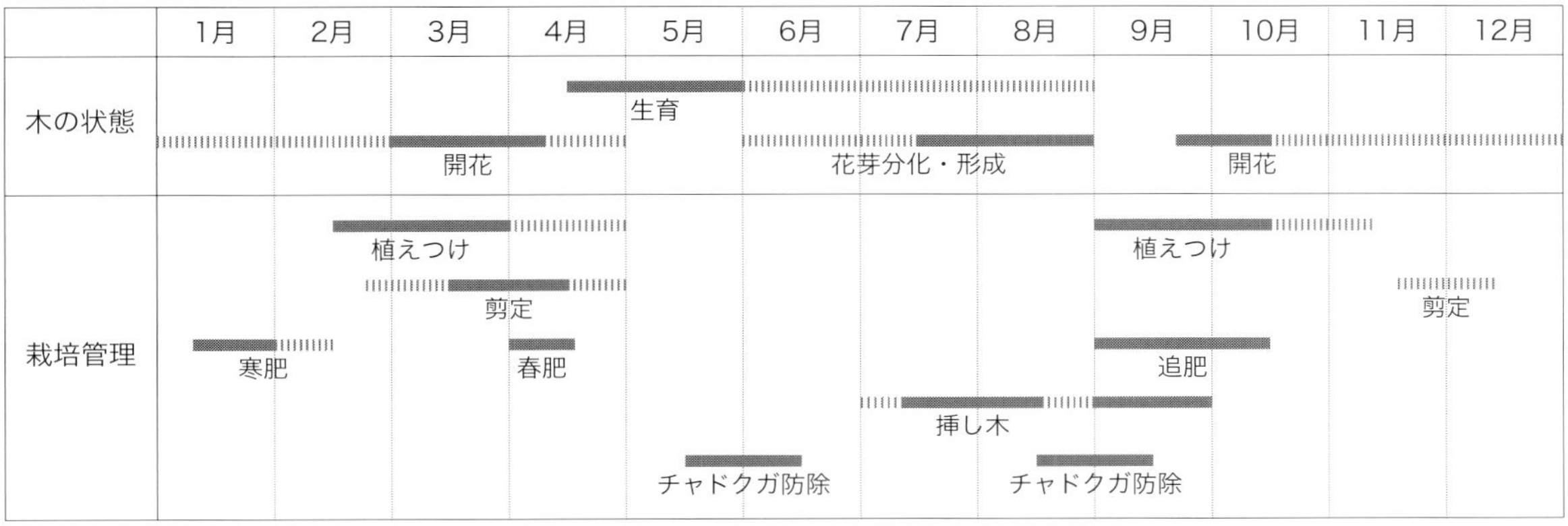
1月
2月
3月
4月
5月
6月
7月
8月
9月
10月
11月
12月
木の状態
生育
開花
花芽分化・形成
開花
栽培管理
植えつけ
植えつけ
剪定
剪定
寒肥
春肥
追肥
挿し木
チャドクガ防除
チャドクガ防除

寒いときの花木の手当て

冬場の花木は花も葉もなく、ついつい存在を薄れがちになります。水やりもつい忘れるという人も多いのではないでしょうか。しかし木は冬の間も着々と芽を出し、花をつけるための準備をしています。水切れを起こさないように、厳寒期といえども土が乾いたら水をやります。

また冬は花木にも寒さ対策を。寒さを嫌うものは軒下に取り込みます。しかし寒いからといって日なたに置くのは禁物です。夜間に凍った細胞が日射しで急激に暖められると、細胞が破れて水分が失われ、寒乾害となるからです。日陰でゆっくりと暖められて溶けると、細胞が破れることはありません。寒い冬こそ日なたではなく、暖かい日陰に置きましょう。日が当たる場所しかない場合は、覆いをするなどして日陰を作ります。

上に木の枝や屋根、覆いなどがあると、暖かさがずいぶん違います。地表からの放射熱は上に何かがあると二度くらい高いので、それだけ寒さが和らぐのです。また鉢物の場合、よく大きな木の下や日陰に土を掘り、冬の間そこに鉢ごと埋めたりもします。暖かいことと、鉢が乾かないという利点があるからです。

北風を避けることはもちろんですが、何かの陰に置くことも寒さを防ぐのに効果的です。

庭の土作りと鉢用土

土は植物の生長に必要な養分や水分、空気を蓄えると同時に、植物の根をしっかり張らせ、地上部を支える役目も果たしています。それだけに、土質がその植物の特性に合うか否かは、生長の鍵を握る要点といえるでしょう。

一口に土といってもいろいろあります。火山灰からできた火山灰土壌、河川の流域に見られる粘土質土壌、海岸に近い砂質土壌などがあります。いずれも一長一短があり、植物の生育には空気や養水分を蓄える機能をもった土作りが必要となります。

有機物による庭土作り

庭土を改良する方法は、特殊な場合を除けば、腐葉土や堆肥《たいひ》、ピートモスなどの有機物（三〜五kg／㎡）を土にすき込むことが第一です。

チップ堆肥などで発酵が十分でない場合は、地表面に数センチ敷くマルチングも有効です。微生物による有機物の分解に伴い、土の団粒化がはかられ、空気や養水分の保持機能が向上します。

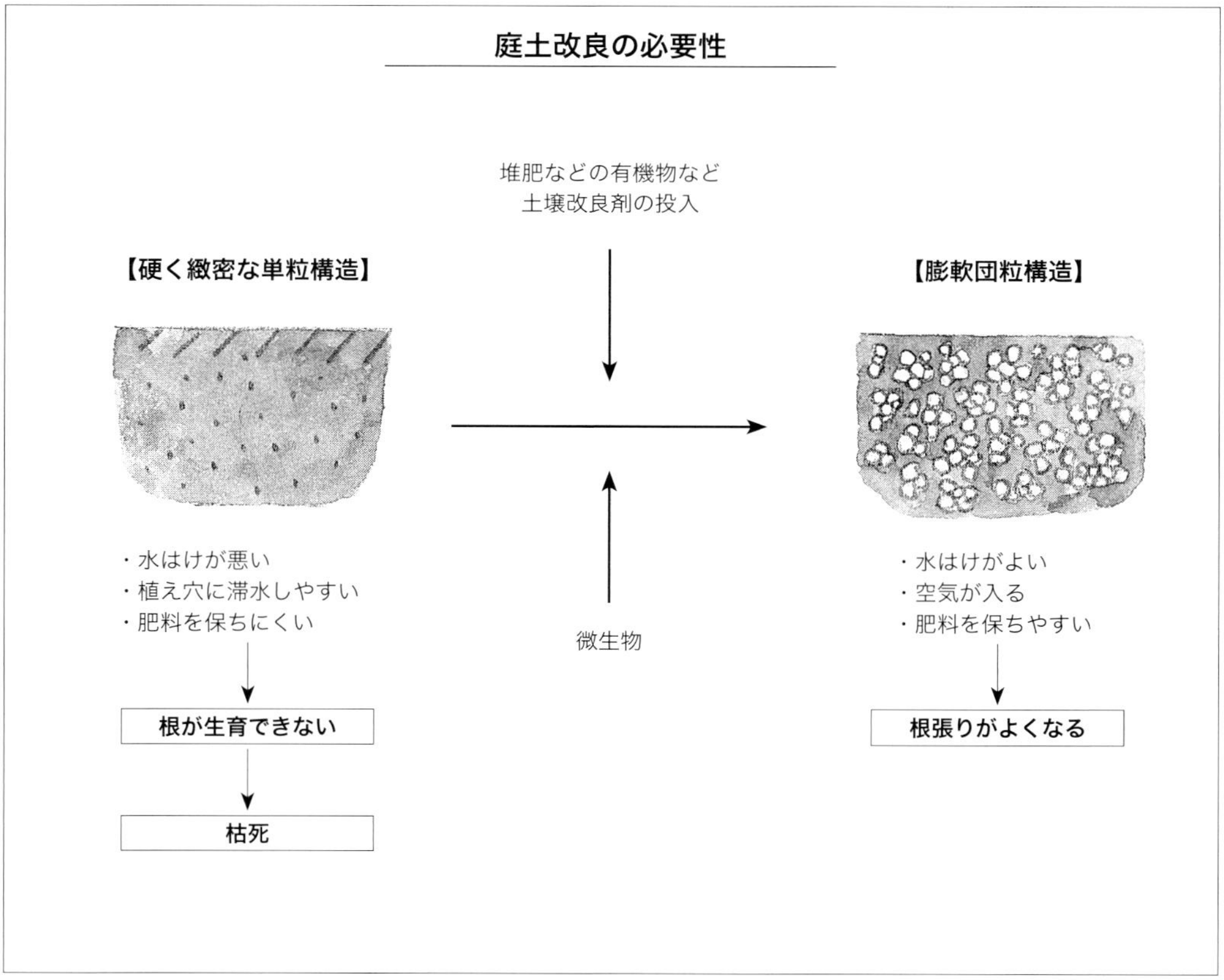

庭土改良の必要性
堆肥などの有機物など
土壌改良剤の投入
【硬く緻密な単粒構造】
・水はけが悪い
・植え穴に滞水しやすい
・肥料を保ちにくい
根が生育できない
枯死
微生物
【膨軟団粒構造】
・水はけがよい
・空気が入る
・肥料を保ちやすい
根張りがよくなる

鉢用土の配合と用い方

鉢植えの用土の配合は、土と空気と水分のバランスがよいことが第一で、それにより根が伸びやすくなります。赤玉土と腐葉土を主に、植物の特性によって、これに鹿沼土などを加えます。

最も基本的な配合は赤玉土・腐葉土が七対三の割合です。

赤玉土・腐葉土に鹿沼土を加え、四対三対三の割合にすると、酸性土を好むツツジ科などの花木に適した配合となります。鹿沼土は乾くと色が白っぽく変化するので、水やりのタイミングの判断がしやすいという利点があります。

同じ赤玉土と腐葉土の二種の配合でも、幼植物の場合には二対一に、大きくなった樹木の場合には三対一の割合というように応用します。

ほかに通気や水はけ、水もちをよくするためにピートモス、パーライト、バーミキュライトなどを一〇パーセント程度加えたりもします。

鉢用土の基本的な入れ方

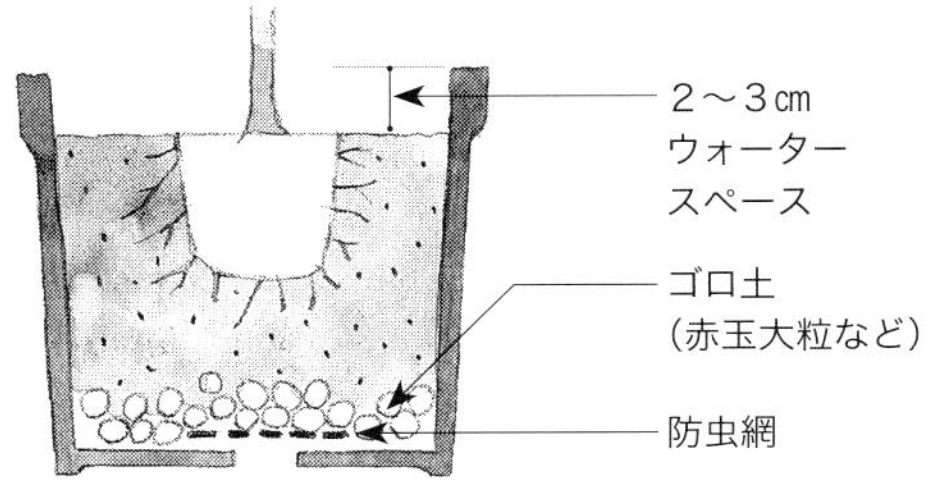
2～3㎝
ウォーター
スペース
ゴロ土
(赤玉大粒など)
防虫網

鉢用土の配合

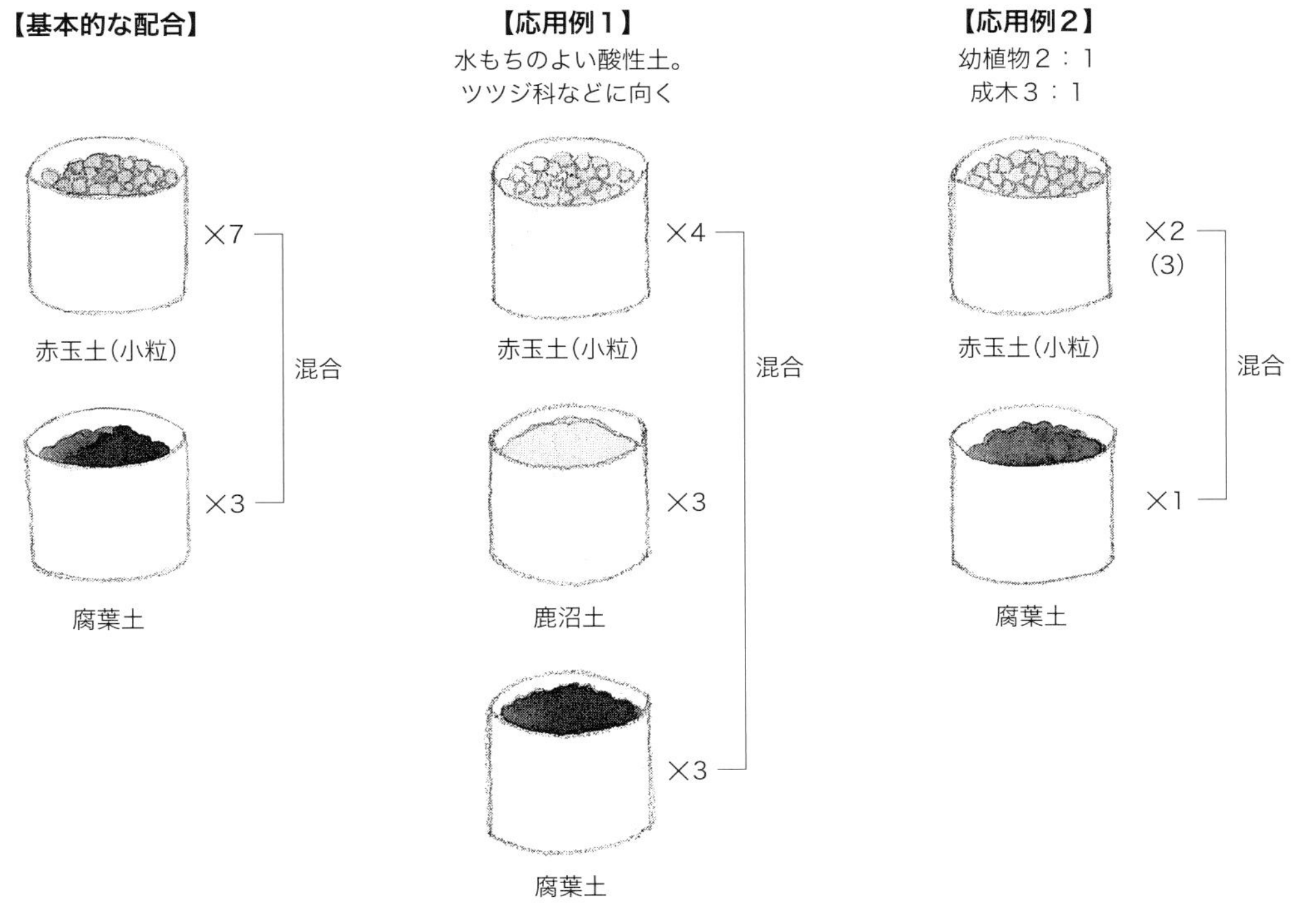
【基本的な配合】
赤玉土(小粒)
×7
腐葉土
×3
混合
【応用例1】
水もちのよい酸性土。
ツツジ科などに向く
赤玉土(小粒)
×4
鹿沼土
×3
腐葉土
×3
混合
【応用例2】
幼植物2：1
成木3：1
赤玉土(小粒)
×2
(3)
腐葉土
×1
混合

苗木の入手と選び方

樹種名と品種名を確認する

苗木が健全であるか否かで、その後の生長が大きく違ってきます。したがって、苗木の入手先は信用ある種《しゅ》苗《びょう》商から購入するのがいちばんですが、近年はコンテナ（容器）栽培ものが多くなり、ガーデンセンターや町の花屋さんでも販売されるようになりました。

　これらの苗木はきちんとしたラベルとともに、花や実をつけて販売されているので間違えることもなく、安心して購入できます。できればガーデンセンターなどに出向き、現物を直接確かめてから、購入しましょう。

　入手がむずかしい品種はカタログなどによる通信販売も便利です。

　はだか根で販売されるものもあり、植え場所をあらかじめ準備しておくようにします。

コンテナ（容器）栽培ものを選ぶ

よい苗木を選ぶ条件の第一は、細根が多くついていることです。その点、ポリポットなどの容器栽培されたものは安心です。

　しかし長くおきすぎて太い根がぐるぐる巻いていたり、地上部が元気のない状態のものは避けます。苗木を鉢から抜いてみて、確認するようにします。

　根を巻いたもの、はだか根のものも細根が見えるかどうかを確認します。

　また、大きなこぶがついていたり、ネアブラムシなどがついている場合があり、注意を要します。

　葉や芽がしっかりしていることも、選ぶときの要点の一つです。

苗木の選び方

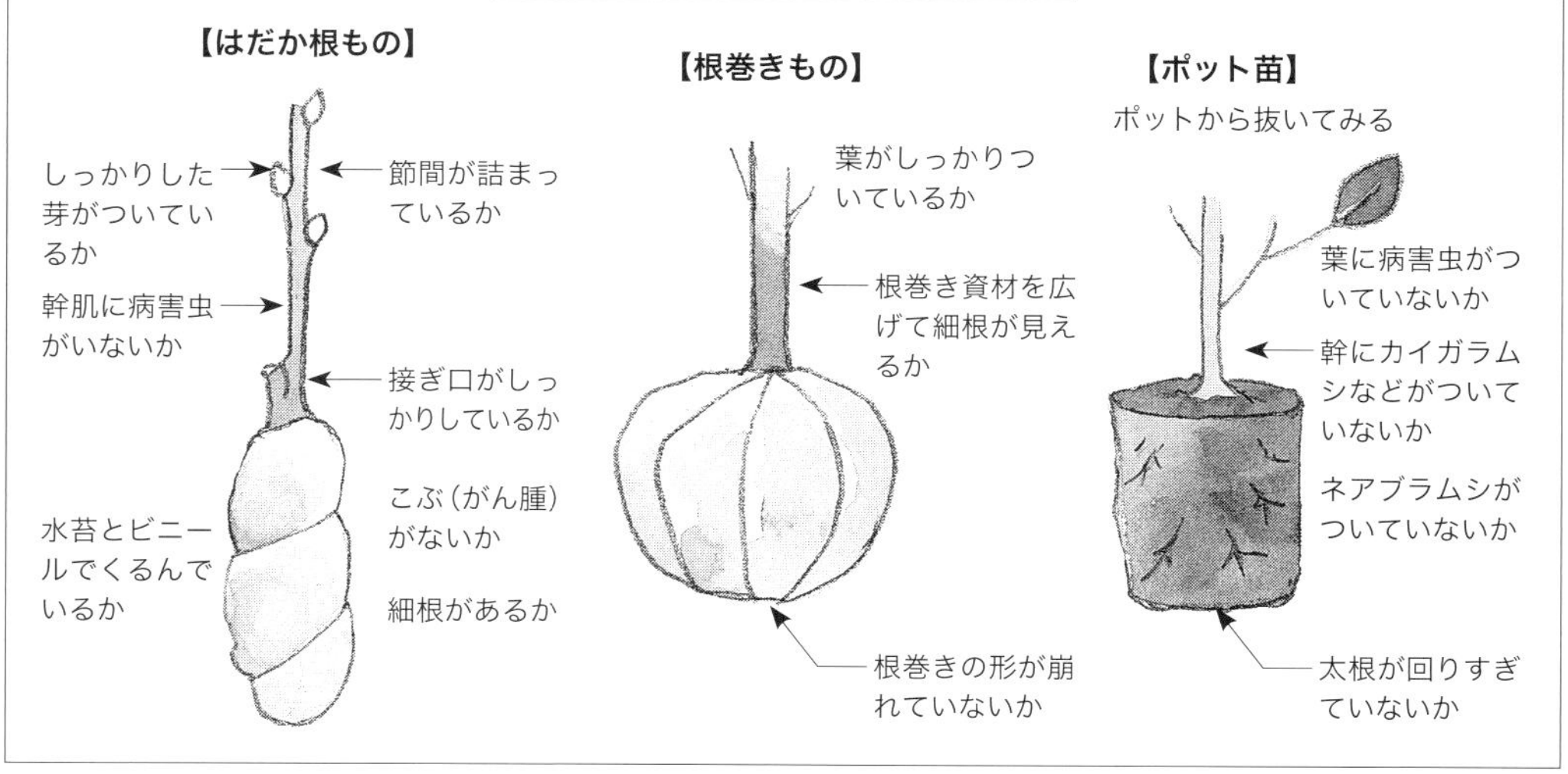
【はだか根もの】
しっかりした芽がついているか
節間が詰まっているか
幹肌に病害虫がいないか
接ぎ口がしっかりしているか
こぶ（がん腫）がないか
水苔とビニールでくるんでいるか
細根があるか
【根巻きもの】
葉がしっかりついているか
根巻き資材を広げて細根が見えるか
根巻きの形が崩れていないか
【ポット苗】
ポットから抜いてみる
葉に病害虫がついていないか
幹にカイガラムシなどがついていないか
ネアブラムシがついていないか
太根が回りすぎていないか

植えつけ（定植・移植）

苗木の植えつけは一般に、根をよく広げ、支柱をしっかり立てて、高植えにします。

成木の場合も高植えにしますが、根鉢が固定しやすいように、根元の周りに水鉢状に土を盛り上げ、どろどろになるように水を注ぎ、これを棒でつついて隙間ができないようにします。こうすることで水が土にしみ込んで土が引き締まり、根鉢が固定されます。

成木の支柱は図（一七二ページ）のように行います。

不織布コンテナ（容器）の利用

不織布コンテナとは、化学繊維を紙状に加工した不織布を素材に、鉢状に加工したものです。苗木をコンテナに植え、コンテナのまま図（一七三ページ）のように庭に植え込みます。雨水はコンテナの不織布を通過しますが、根はほとんど出ないか、細根が少し出る程度です。

根が不織布の壁面に達する一〜二か月は、表土が乾いたら水やりをする必要があります。

このタイプは庭への直《じか》植えに比べ、水分補給が制限されるので、比較的樹形をコンパクトに保つことができ、花つきや実つきがよいという特徴があります。

また、花どきでも鉢揚げや、移動ができる点も便利です。そのほかにも鉢植えに比べて水やりが省力できるなど、利点が多いのが魅力です。

コンテナ（容器）のまま植えつけるタイプのものも、いろいろな製品が出ています。

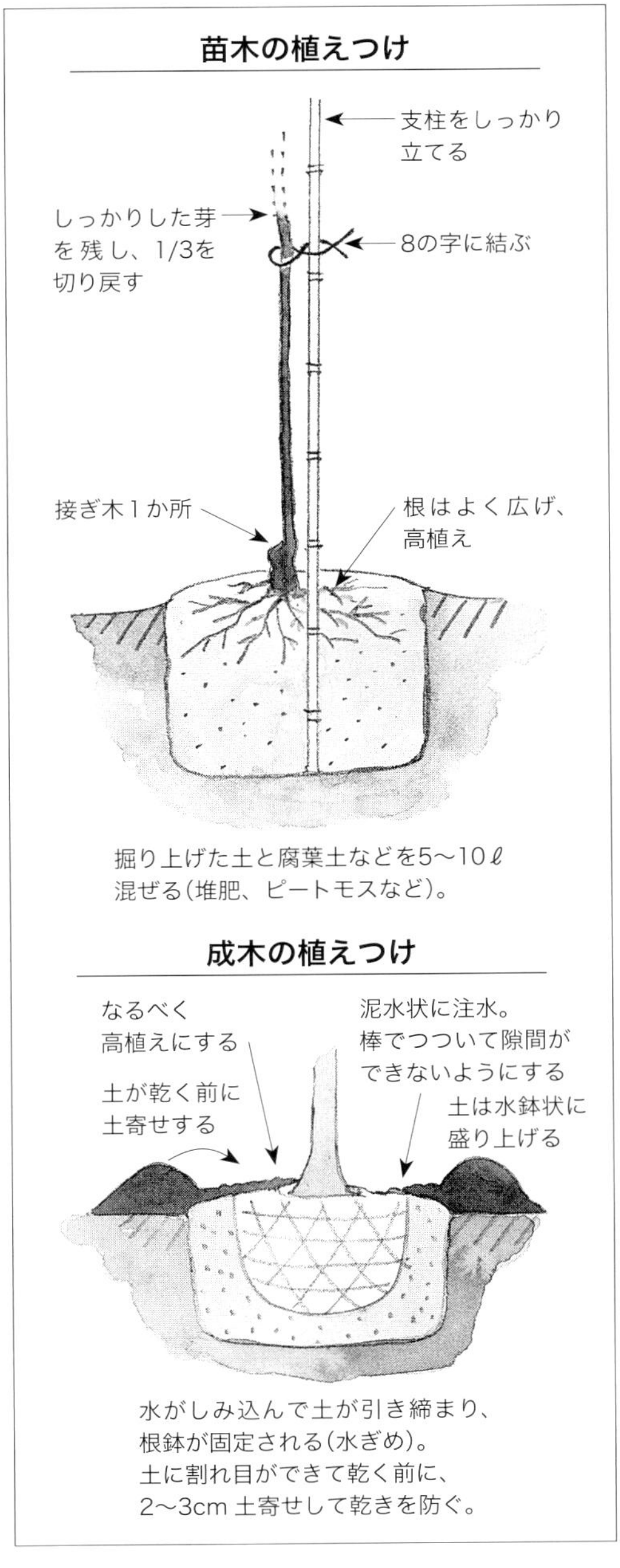
苗木の植えつけ
支柱をしっかり立てる
しっかりした芽を残し、1/3を切り戻す
8の字に結ぶ
接ぎ木1か所
根はよく広げ、高植え
掘り上げた土と腐葉土などを5〜10ℓ混ぜる（堆肥、ピートモスなど）。
成木の植えつけ
なるべく高植えにする
泥水状に注水。棒でつついて隙間ができないようにする
土が乾く前に土寄せする
土は水鉢状に盛り上げる
水がしみ込んで土が引き締まり、根鉢が固定される（水ぎめ）。土に割れ目ができて乾く前に、2〜3cm土寄せして乾きを防ぐ。

成木の3本支柱

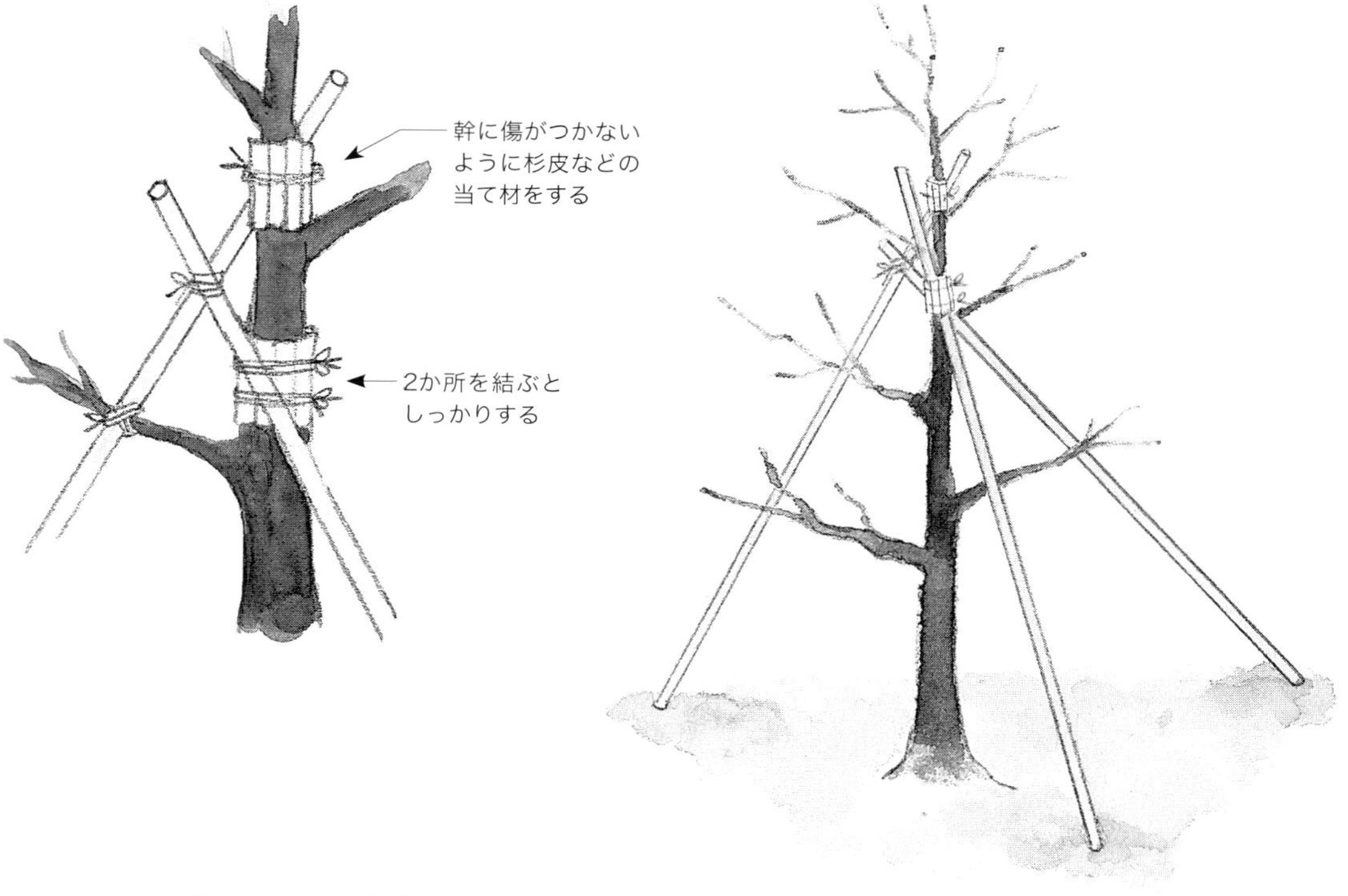
幹に傷がつかない
ように杉皮などの
当て材をする
2か所を結ぶと
しっかりする

秋の採りまき

大部分の種は乾燥すると発芽能力が失われます。採ってきたら放っておかず、とにかく種をまいておくようにしましょう。秋に採りまきする場合は直接地面にではなく、鉢にまきます。種まき用の土は川砂でも小粒の赤玉土でもよいのですが、あとをそのまま育てるのであれば赤玉土を用います。

かぶせる土が浅いと、冬の霜で土が持ち上げられたときに種が飛び出して乾いてしまうので、上から二〜三センチの土をかぶせます。水は下に抜けるくらいにたっぷりやりましょう。また、あとでわからなくなって困らないよう、鉢にラベルをつけておきます。冬期も土が乾きすぎない程度に水をやります。

万両や南天のような種に果肉があるものは、果肉に発芽抑制物質があるため、土の上で腐るとか、鳥に食べられるなどして、果肉がなくなることが発芽の条件です。しかし、果肉を取り除くことが面倒であれば、そのままでもよいので、とにかくまいてしまいましょう。少し発芽が遅れますが、やがて土中で果肉が腐って、発芽します。

不織布コンテナでの植えつけ

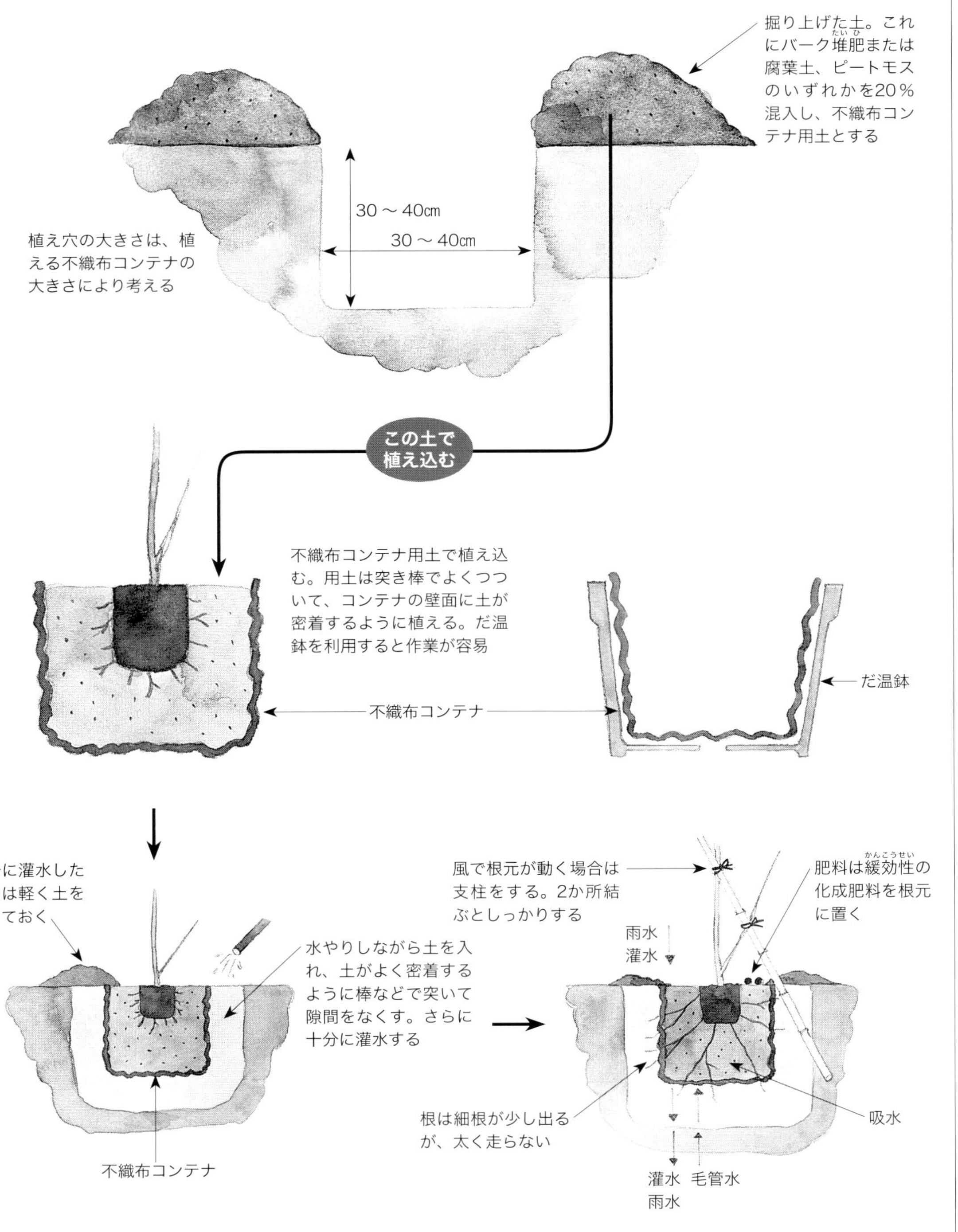
掘り上げた土。これにバーク堆肥《たいひ》または腐葉土、ピートモスのいずれかを20％混入し、不織布コンテナ用土とする
30 ～ 40㎝
30 ～ 40㎝
植え穴の大きさは、植える不織布コンテナの大きさにより考える
この土で植え込む
不織布コンテナ用土で植え込む。用土は突き棒でよくつついて、コンテナの壁面に土が密着するように植える。だ温鉢を利用すると作業が容易
だ温鉢
不織布コンテナ
十分に灌水したあとは軽く土をかけておく
水やりしながら土を入れ、土がよく密着するように棒などで突いて隙間をなくす。さらに十分に灌水する
不織布コンテナ
風で根元が動く場合は支柱をする。2か所結ぶとしっかりする
肥料は緩効性《かんこうせい》の化成肥料を根元に置く
雨水
灌水
根は細根が少し出るが、太く走らない
吸水
灌水
雨水
毛管水

肥料と施肥

植物は一般に肥料を多くすると生長が盛んになります。しかしながら、花木の肥料はできるだけ少ないほうがいいと考えます。肥料に含まれる窒素が効きすぎると花芽が分化せず、伸長・生長ばかりに栄養が使われるため、花や実がつかなかったりするからです。

早春に花を咲かせる花木は、夏に伸びる枝には花芽がつかないので、春の枝を勢いよく伸ばし、夏枝を伸ばさない肥培管理が理想的です。

また、肥料は花つきをよくするリン酸分の多い鶏糞《けいふん》や油粕《あぶらかす》、骨粉などの有機肥料が適しています。一般には乾燥鶏糞（一kg／㎡程度）で十分ですが、臭いが気になる場合は土をかけておきます。乾燥鶏糞をどうしても使えない場合は、緩効性《かんこうせい》の化成肥料（〇・一kg／㎡程度）を散布します。肥料が多すぎて夏枝が伸びると、病害虫を呼び込むことになるので、なるべく控えめに。翌年は葉の色や夏枝の伸び具合で肥料を加減します。

よく寒肥といいますが、早く施すと花が咲く頃には肥料が切れることになり、好都合なのです。花の時期に窒素分が効いていると、花腐れなど病気になりやすかったり、幼果が落下したりしてしまいます。

根が張っていない苗木の時期には、肥料は根元付近に必要ですが、成木になったあとは樹冠下に全面散布します。施肥の時期は秋冬期、化成肥料は二〜三月に施用。

鉢ではある程度の施肥は毎年必要でしょうが、木の伸びを見て、勢いよく伸びている年は与えません。地植えでは、育成しているときは施肥しますが、思う大きさになったのちは不要です。

花木の肥料について

普通の化成肥料は、早く大きくしようとしてたくさん与えると、植物は塩漬けされたのに似た状態となり、細胞から水分が出て枯れてしまいます。

ただし速効性があり、長く留まらないという長所もあります。また成分の含有量がいろいろあるので、目的に合わせて選ぶ必要があります。必要なら毎月一回程度、ほんの一つまみを与えます。

しかし環境面からも、なるべくならゆっくり効く緩効性《かんこうせい》肥料を用いましょう。有機質肥料も、いったん微生物に吸収されてから分解されるので、一種の緩効性といえるでしょう。

整枝・剪定

花木の健全な生長と保全のために樹形を整える整枝および剪定《せんてい》はたいへん大事なことです。

ことに空間が限定される庭先では一定の大きさに保つ整枝・剪定が必要になってきます。

整枝・剪定の時期を誤ると、樹勢にも花つきにも影響するので、注意します。早春に花を咲かせる花木は花後なるべく早めに、夏に花を咲かせる花木は秋冬期、または春に整枝・剪定します。いずれも厳寒期には行いません。

剪定する枝は次の順序で行います。まず枯れ枝やひこばえ、徒長枝《とちょうし》、重なり枝、絡《から》み枝を剪定します。次に混み枝の枝透かしを行い、樹高、樹幅を一定に保つ切り戻しの整枝・剪定を行います。

こうした枝の剪定は上部から行い、直径三センチ以上の太枝を切った場合は必ずトップジンMペーストなどの保護剤を塗布し、枯れ込みを防ぎます。

切り取るべき枝

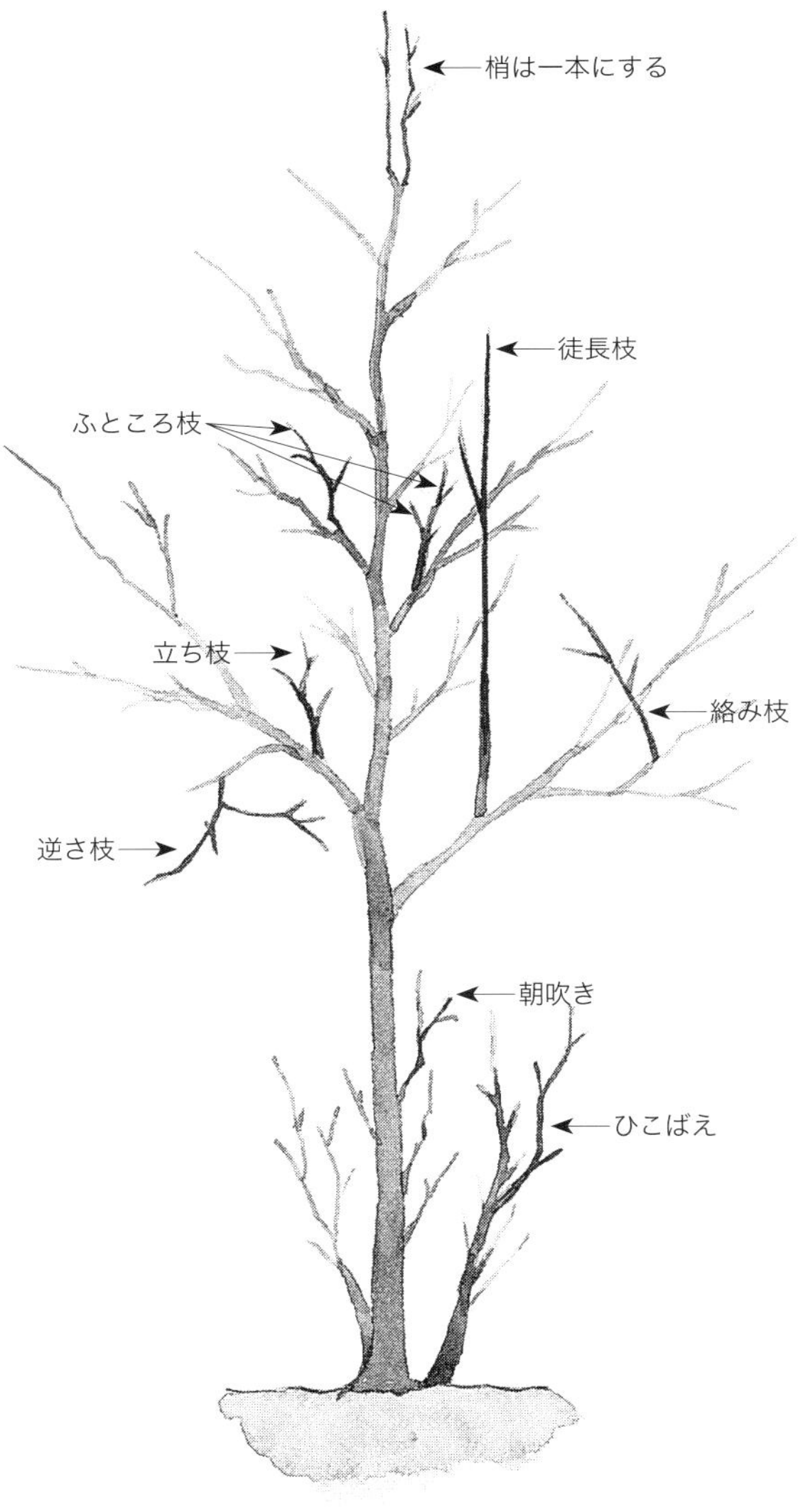
梢は一本にする
徒長枝
ふところ枝
立ち枝
絡み枝
逆さ枝
朝吹き
ひこばえ

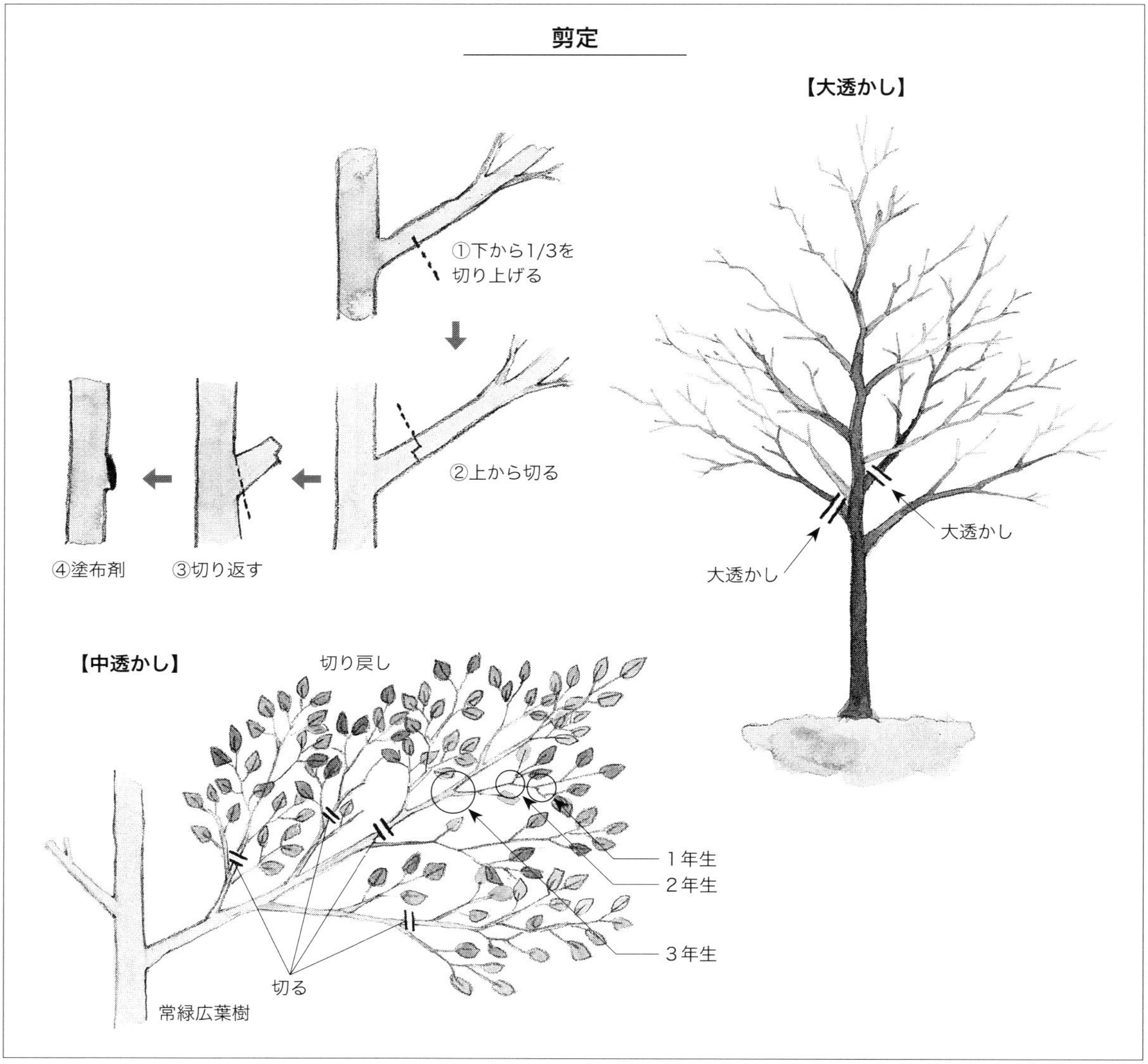
剪定
【大透かし】
①下から1/3を
切り上げる
②上から切る
③切り返す
④塗布剤
大透かし
大透かし
【中透かし】
切り戻し
1年生
2年生
3年生
切る
常緑広葉樹

強剪定について

通常の剪定《せんてい》でも、自信がないという人は結構います。まして強く剪定するとなると、かなりの勇気がいることです。

しかし、大きくなりすぎた木を一定の大きさまで縮めるためには、思い切った切り戻しが必要となります。とくに落葉樹系のものは伸びるので、その年、あるいは次の年も花や実を期待せず、仕立て直すつもりで剪定します。そうすることで、木も再び活性化することになります。

強剪定は二～三月の休眠期に行います。他の時期では枯れてしまうことが多いので注意します。

思う高さまでばっさりと、幹も枝も切ります。さらに枝の広がりも強く剪定し、形を整えます。直径二㎝以上の切り口には塗布剤を塗り、枯れ込みを防ぎます。

こうすると、切り口付近から芽がたくさん出ます。その芽を整理すると、樹形がきれいに整います。枝が重ならないように、また混まないようにし、幹に対して内側に伸びる枝や絡《から》み枝を整理します。

花や実をつける技術

花芽をつける仕組み

植物を上手に育てる人というのは、花をよく咲かせることのできる人といえるのかもしれません。もちろん環境にも左右されますが、ちょっとした技術、何でもないケアが加わるだけで、花のつき方や実のつき方が違ってきます。そのコツを知るためには、花木が花芽をつける仕組みを知っておくことが大事です。

木槿《むくげ》やアベリアなどの夏の花木は、枝の伸長に伴い、一定の積算温度で花芽が分化、発達して開花します。その際、樹勢が強いほど、また養水分が十分に補給されているほど開花数が多く、開花期間が長くなります。したがって、追肥と灌水《かんすい》が有効であ

夏期(6〜7月)剪定

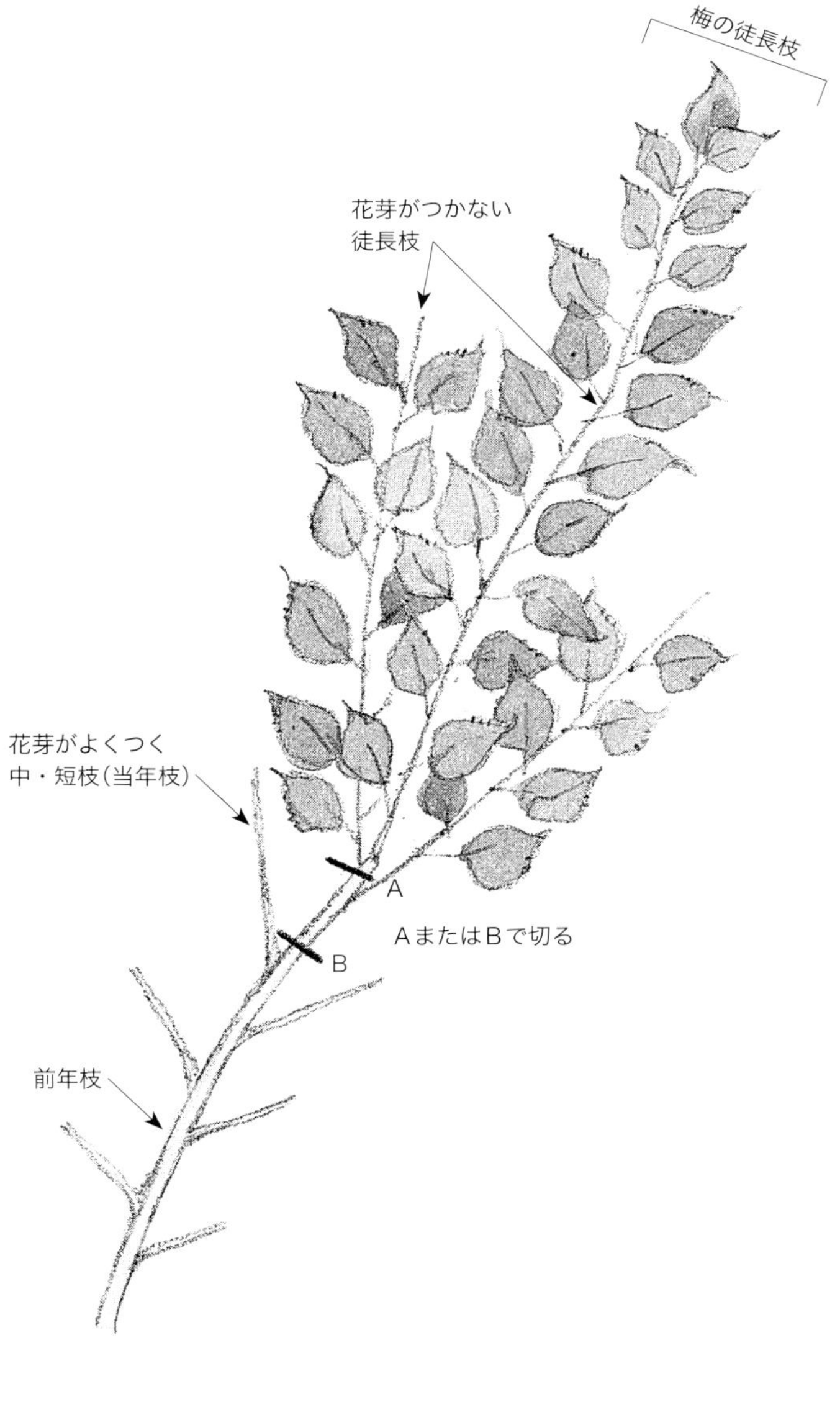
梅の徒長枝
花芽がつかない
徒長枝
花芽がよくつく
中・短枝(当年枝)
A
B
AまたはBで切る
前年枝

り、管理は容易であるということになります。

一方、梅や椿のような春の花木は、春には盛んに枝を伸ばしますが、初夏から夏になるとその伸びが止まり、同化養分を蓄えた、充実した枝に花芽がつき、一定の低温期間を経て、秋冬期から翌春に開花するということになります。

つまり、通常は枝や葉が伸びる栄養生長から、花芽ができて開花、結実する生殖生長へと移行するわけです。

ところが、幼木や徒長枝《とちょうし》のように栄養生長が盛んな場合はその移行が行われません。そこで花芽をよくつけるには、夏以後いかに枝を伸ばさないようにするか、肥料や水やりを抑え、強剪定《きょうせんてい》を避け、整枝誘引などの管理が必要となってきます。

施肥と剪定

肥料の効果は大きいものですが、多く施せばよいというものではありません。施肥は常に枝の伸び具合を見て行います。枝の伸びがよい場合は施さないことです。肥料は少なめに、生育状況に応じて施すというのが鉄則です。

夏枝を伸ばさない施肥法では、秋期、または冬期にリン酸分の多い骨粉などの有機質肥料や、緩効性《かんこうせい》の化成肥料を施します。その際、樹冠下の表土を少しかき寄せるようにして土と混ぜ合わせると、肥料の効果が高まります。

実ものの樹種では、花どきに施肥すると幼果が落ちてしまうので、この時期に施さないように注意します。

●花木の剪定は花が終わった直後

総体に、椿や梅のように、五～八月の高温下で花芽を分化する樹種が多いのですが、雪柳や紫陽花《あじさい》のように十一月頃の、一定の低温下で花芽分化する種類もあります。いずれにしろ基本的には、花芽の分化期の前後に、枝を剪定しないことが肝心で、それぞれの花が終わった直後に整枝・剪定をするようにします。花ものの整枝・剪定、刈り込みは花後早めに行うものと心得ましょう。

●日当たりをよくする夏の剪定

日当たりは花のつき方に大きく影響します。徒長枝が伸びて茂ると、下枝の日当たりが悪くなり、養分も奪われて、花芽のつきが悪くなります。徒長枝は六～七月頃、混み枝とともに切り除いておくことが大切です。

●強い立ち枝の誘引

しかしながら、強く伸びた枝のすべてが邪魔者というわけではありません。徒長気味であっても、当然のことながら必要な枝は残します。このような枝は六～七月頃、ひもで倒すように誘引すると伸長が止まり、花芽がつきやすくなります。

根切り

土地が肥沃《ひよく》なことから樹勢が強く、枝ばかりが伸びて花芽がつかない場合、また花がついても、実が落ちてしまう場合には、早春に根切りを行います。根を切ることによって樹勢を抑え、枝の伸びを春期に止めることで、花芽のつきや実つきをよくすることができるからです。

たいていの樹木の根は、深さ三〇センチ程度までです。したがって、根元から半径三〇～四〇センチの距離の周囲をスコップで掘り、根を切ります。その際、スコップの背を幹に向けて立て、足で踏み込むと、垂直に根を切ることができます。

時期は二月中下旬。根切り後に移植する場合は、強く根を切るので上部を多少軽くしたほうがよく、バランスよく枝抜き剪定を行うようにし

施肥を兼ねた根切り（地植え）

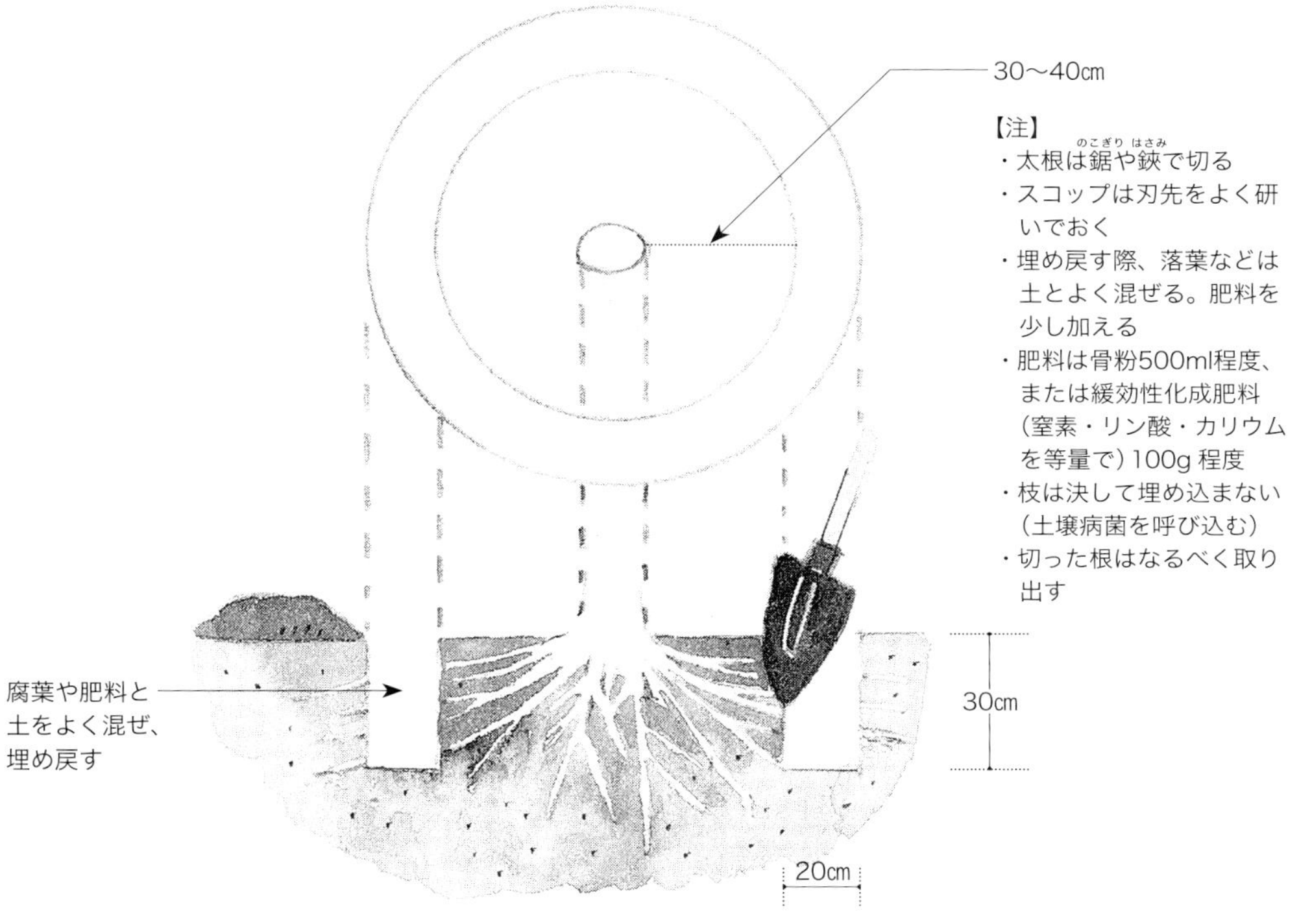
30～40㎝
【注】
・太根は鋸《のこぎり》や鋏《はさみ》で切る
・スコップは刃先をよく研いでおく
・埋め戻す際、落葉などは土とよく混ぜる。肥料を少し加える
・肥料は骨粉500ml程度、または緩効性化成肥料（窒素・リン酸・カリウムを等量で）100g 程度
・枝は決して埋め込まない（土壌病菌を呼び込む）
・切った根はなるべく取り出す
腐葉や肥料と土をよく混ぜ、埋め戻す
30㎝
20㎝

ます。

また、冬期に根切りして枝の徒長を防ぐと、花つきがよくなります。

環状剥皮

山茱萸《さんしゅゆ》など、ある程度の大きさにならないと花が密につかない樹種に対しては、花芽の着生を促すため枝の環状剥皮《かんじょうはくひ》を行います。ぐるりと剥皮すると枯れやすいので、次のような方法で行います。

環状剥皮逆接ぎの時期は新芽どきで、枝の基部五～一〇センチのところを図（一八〇ページ）のように表皮をぐるりと剥《は》がします。この剥がした樹皮を上下逆にして、再び剥皮した跡にはめ込み、テープをきっちりと巻いて癒合《ゆごう》させるものです。

梅や花桃《はなもも》のように、環状剥皮すると台風などの風で折れやすい花木の場合は、鎌や鉈《なた》などの刃物で枝の基部の表皮を螺旋《らせん》状に一～二周切って剥がし、花芽の着生を促します。この方法を螺旋剥皮と呼び、部分剥皮と同様に一部を剥がすだけなので、木が弱りすぎることがないという利点があります。

また環状剥皮は、照葉《てりは》ものを早めに紅葉させる働きもします。

環状剥皮のいろいろ

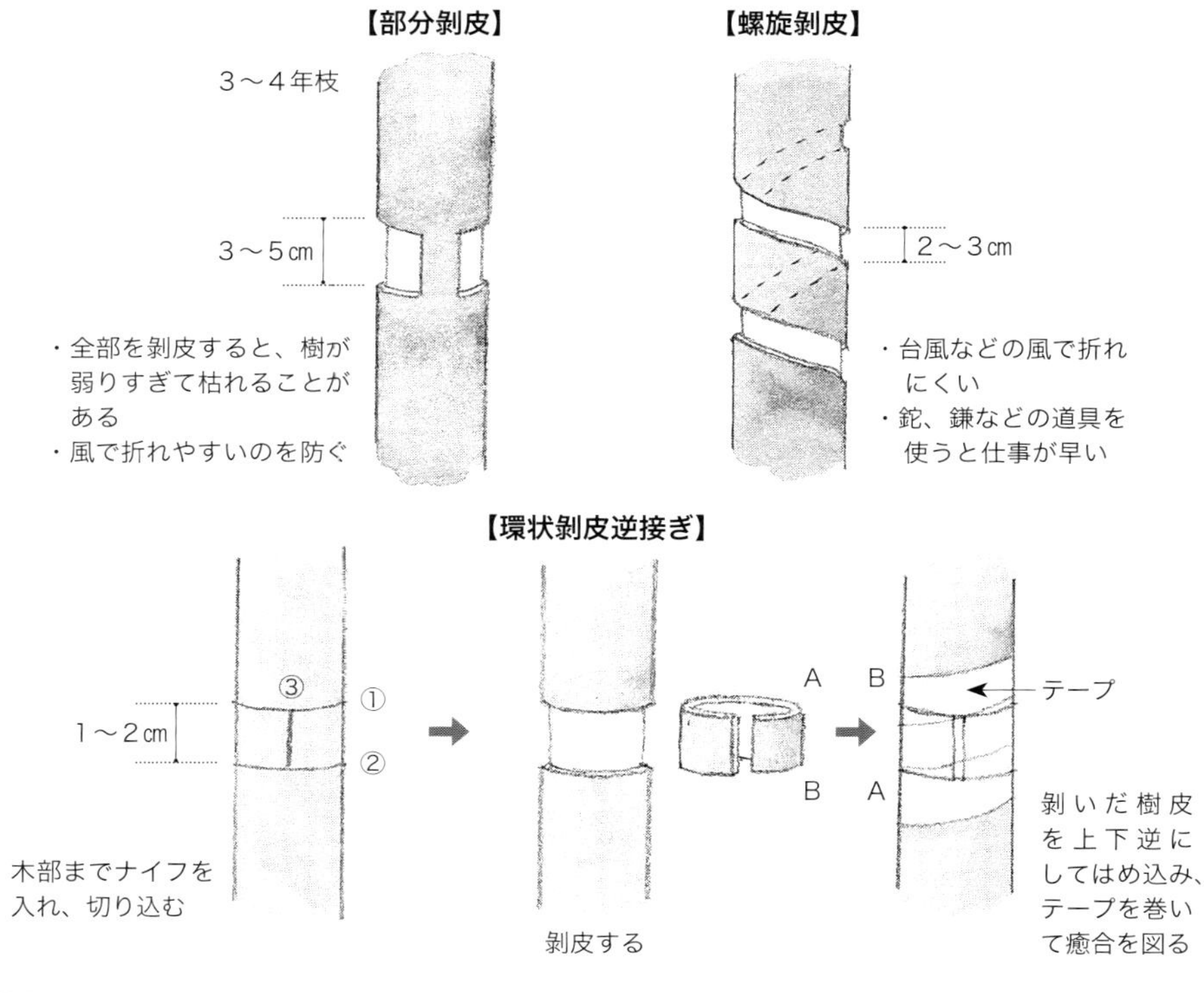
【部分剥皮】
3～4年枝
3～5㎝
・全部を剥皮すると、樹が弱りすぎて枯れることがある
・風で折れやすいのを防ぐ
【螺旋剥皮】
2～3㎝
・台風などの風で折れにくい
・鉈、鎌などの道具を使うと仕事が早い
【環状剥皮逆接ぎ】
1～2㎝
③
①
②
木部までナイフを入れ、切り込む
剥皮する
A
B
B
A
テープ
剥いだ樹皮を上下逆にしてはめ込み、テープを巻いて癒合を図る

花芽をたくさんつけるコツ

樹木の枝はまっすぐ上に伸びているときは成長ホルモンが活発ですが、これを斜めにすると頂芽《ちょうが》が産出する成長ホルモンのオーキシンが減り、側芽《そくが》のサイトカイニンがふえて、花芽の分化促進をします。梨などの果樹栽培では昔から、花芽がたくさんつくというので花芽どきに若い枝を斜めに誘引していましたが、そのことが科学的に実証されたわけです。

家庭でも、花木や果樹の花芽どきの六～七月に若い枝を横に誘引すると、花つきが驚くほどよくなります。とくに強剪定《きょうせんてい》した場合、太い枝を切ったあとから若い枝が元気よく出ますので、これを誘引すると花つきがよくなります。逆にこの若い元気な枝を放っておくと徒長枝《とちょうし》になり、生長と強剪定を繰り返し、花は咲きません。

また、花芽の分化時期に水やりを少し控えめにすると、花芽がつきやすくなります。花木では多く梅雨明け頃に花芽分化を迎えるので、この時期は葉が夕方には少ししおれるくらいに朝の水やりを控えめにします。一週間から一〇日間くらいで効果が出ます。これも植物のホルモンの作用です。

ふやし方

流通がなく、入手が困難な樹種や品種については、自分でふやす以外に方法がありません。それにもまして、慈《いつく》しみ育てている花木を自らの手でふやしていく楽しみは、何にもまして大きいものです。

数をふやしたいということのほかに、現在大切にしている樹種が何らかの状況で損なわれたときのために、次の世代の木を育てておきたいという人も多いのではないでしょうか。

一般には、種をまく実生《みしょう》は開花までに年数がかかること、異なった花が咲く可能性が大きいことなどから、挿し木や接ぎ木、取り木することをおすすめします。

挿し木

樹種や挿し木の時期により、発根の難易があり、挿し木の方法も異なってきます。

落葉樹の休眠枝挿し（二〜三月）

主に発根が容易な木槿《むくげ》や柳類などに用いる方法です。枝を長さ二〇〜三〇センチに切り、下端部を切り返し、三分の二を耕した庭土に挿し込み、土と密着するように押さえます。鉢や箱に挿し木する場合は、容器に合わせて穂木を短くします。

落葉樹の緑枝挿し（五〜六月）

花桃などの新しく伸びた枝を、軟らかい枝先を除き、葉を二、三枚つけて、鉢や箱に挿し木する方法です。主に葉のしおれを防ぐ「密閉挿し」（一八二ページ参照）が簡便。明るい日陰で行うことと、発根剤の利用がポイントとなります。

常緑樹の緑枝挿し（六〜八月）

春に伸びる枝が伸び止まって少し固まった半熟枝を挿すのがポイント。やはり「密閉挿し」が簡便です。

緑枝挿しの挿し穂

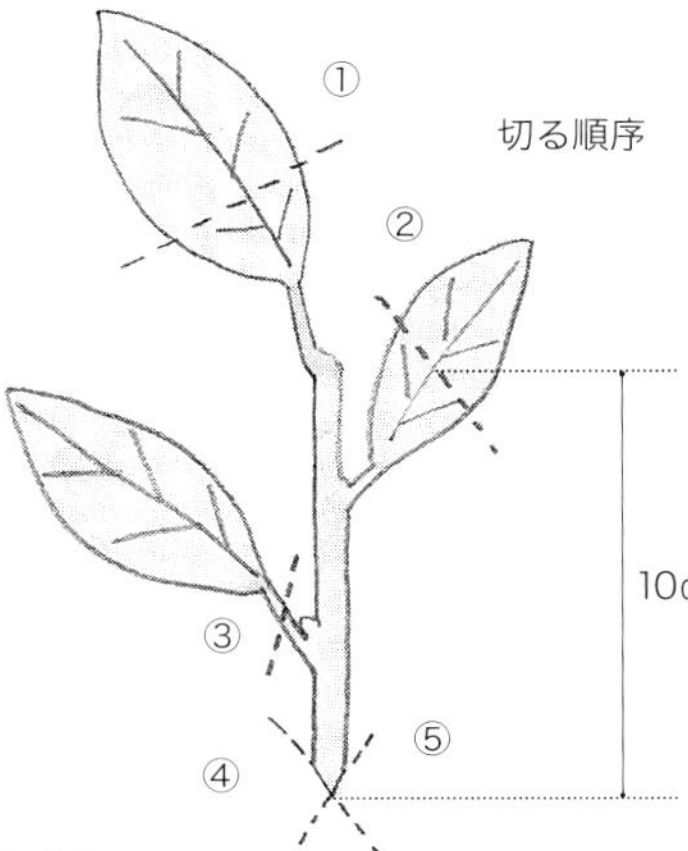

【穂木】
適期：落葉樹は5月下旬〜 6月上旬
　伸長中の場合は軟らかい先端を切除
　常緑樹は5月下旬〜 7月・9月
　先端の芽がふくらみ始めた頃
・挿し穂の調整：葉は2枚
　1/2 〜 1/3切除
・水あげ：15〜30分程度
　なるべく葉を水につけないように
・発根剤（オキシベロン粉剤0.5%）
　下部切り口に薄く塗布

接《つ》ぎ木

接ぎ木ができると最も小さい枝や芽だけでふやすことができ、一株に数品種を咲かせることもできます。穂木の状態や台木の状態、時期により、接ぎ方を変えます。ここでは比較的手軽な方法について紹介しましょう。

切り接ぎ（二〜四月）

最も基本的な接ぎ方で、台木を掘り上げて接ぐ揚げ接ぎ、掘り上げない方法で接ぐ居接ぎがあります。

削ぎ芽接ぎ（八〜九月）

葉柄《ようへい》をつけた芽を盾《たて》状に削り、薄く削《そ》いだ台木に接ぐ方法。葉柄の落ち具合で活着を早期判定できます。

腹接ぎ（十二〜三月、九月）

一、二芽をつけ、削った穂木を、切り込んだ台木の途中に接ぐ方法。穂木は取り接ぎとし、貯蔵しません。

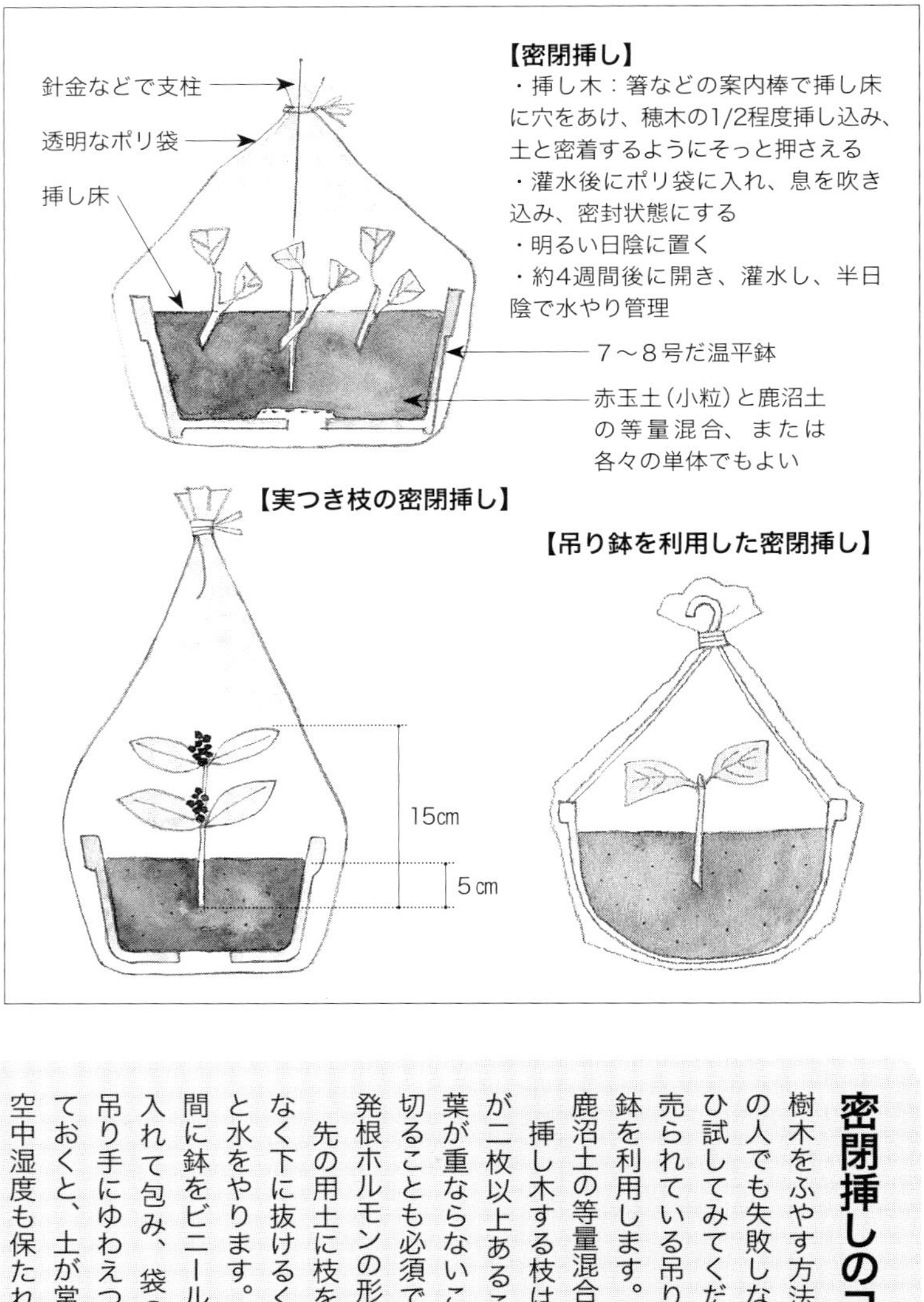

【密閉挿し】
・挿し木：箸などの案内棒で挿し床に穴をあけ、穂木の1/2程度挿し込み、土と密着するようにそっと押さえる
・灌水後にポリ袋に入れ、息を吹き込み、密封状態にする
・明るい日陰に置く
・約4週間後に開き、灌水し、半日陰で水やり管理
針金などで支柱
透明なポリ袋
挿し床
7〜8号だ温平鉢
赤玉土（小粒）と鹿沼土の等量混合、または各々の単体でもよい
【実つき枝の密閉挿し】
15㎝
5㎝
【吊り鉢を利用した密閉挿し】

密閉挿しのコツ

樹木をふやす方法として、初めての人でも失敗しない密閉挿しをぜひ試してみてください。園芸店で売られている吊り手のついた吊り鉢を利用します。用土は赤玉土と鹿沼土の等量混合を用意します。

挿し木する枝は、節が二節、葉が二枚以上あることが条件です。葉が重ならないこと、葉を半分に切ることも必須です。葉を切ると発根ホルモンの形成が促されます。

先の用土に枝を挿し、まんべんなく下に抜けるくらいにたっぷりと水をやります。水が滴《したた》っている間に鉢をビニール製の買い物袋に入れて包み、袋の持ち手を鉢の吊り手にゆわえつけます。こうしておくと、土が常に湿った状態で、空中湿度も保たれます。これを吊らずに直射日光が当たらない場所に置いておくと、早いものでは一〇日、遅くとも三週間のうちには発根します。

挿し木では、若い枝は水分を蒸散しやすく、しおれて枯れる例が多いのですが、密閉挿しではこの心配がありません。発根しにくい場合は、発根を促すホルモン剤を使用すると発根します。この方法だと挿し木の時期が広がります。

接ぎ木法

【切り接ぎ法】

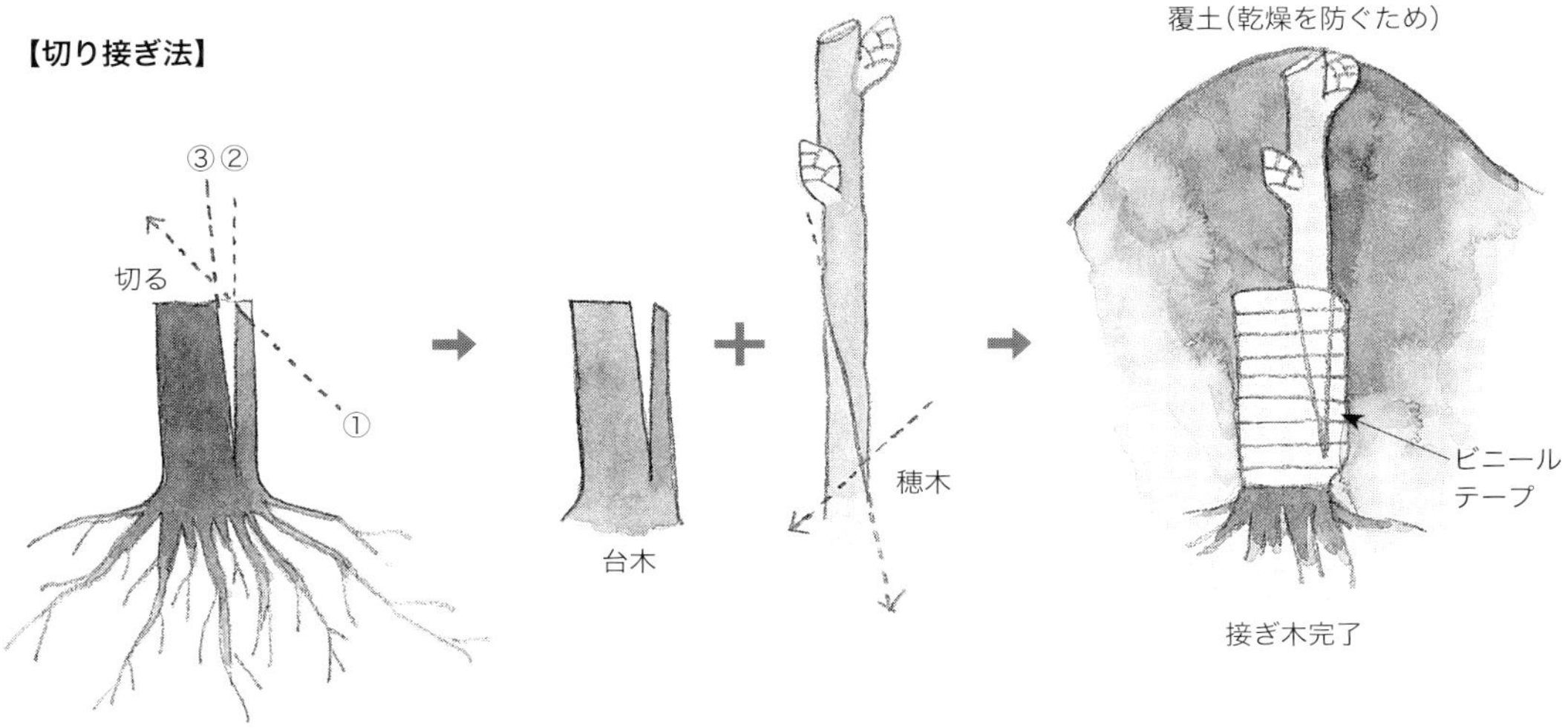
③②
切る
①
台木
穂木
覆土(乾燥を防ぐため)
ビニール
テープ
接ぎ木完了

【削ぎ芽接ぎ法】 穂木は今年生の充実した枝を使う。
結束はビニールテープで行い、葉柄は出し、芽は半分くらい出して結ぶ。

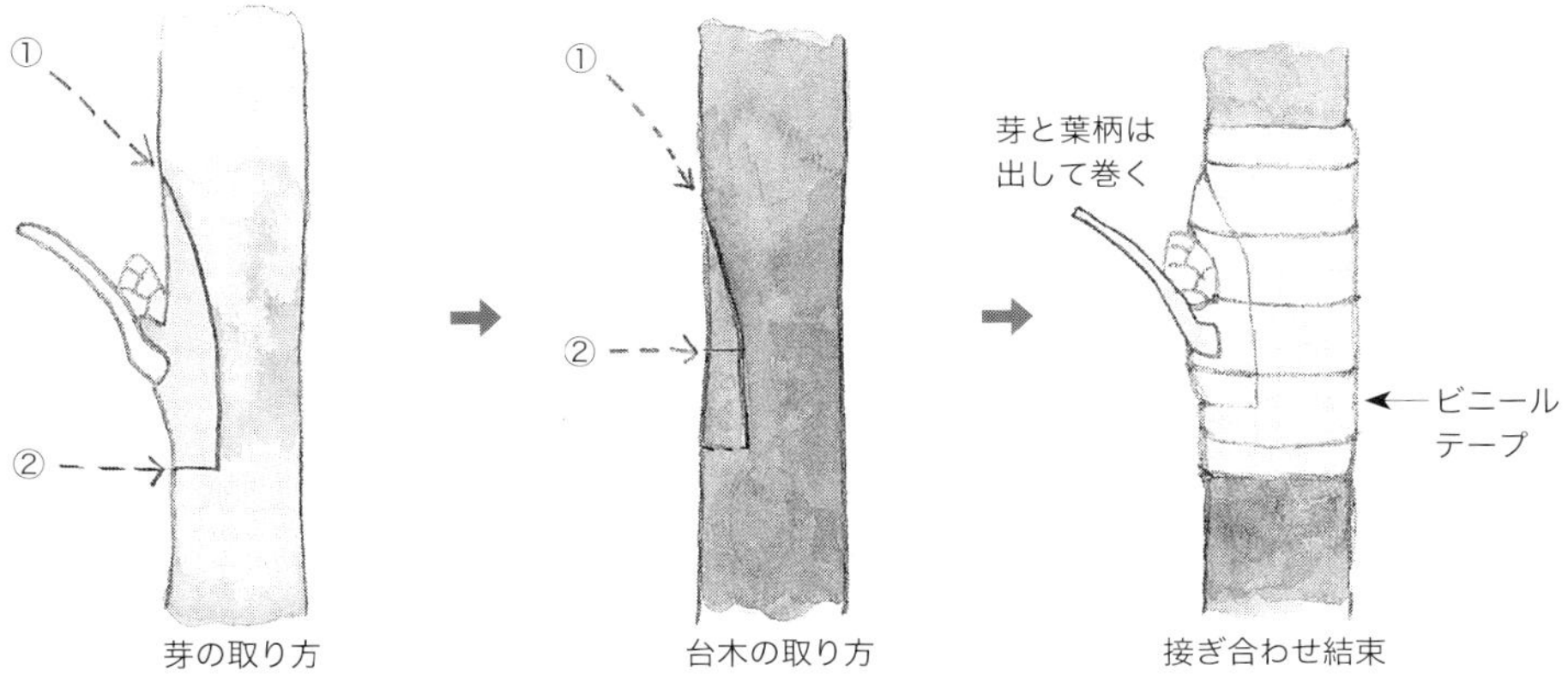
①
②
芽の取り方
①
②
台木の取り方
芽と葉柄は
出して巻く
ビニール
テープ
接ぎ合わせ結束

【腹接ぎ法】

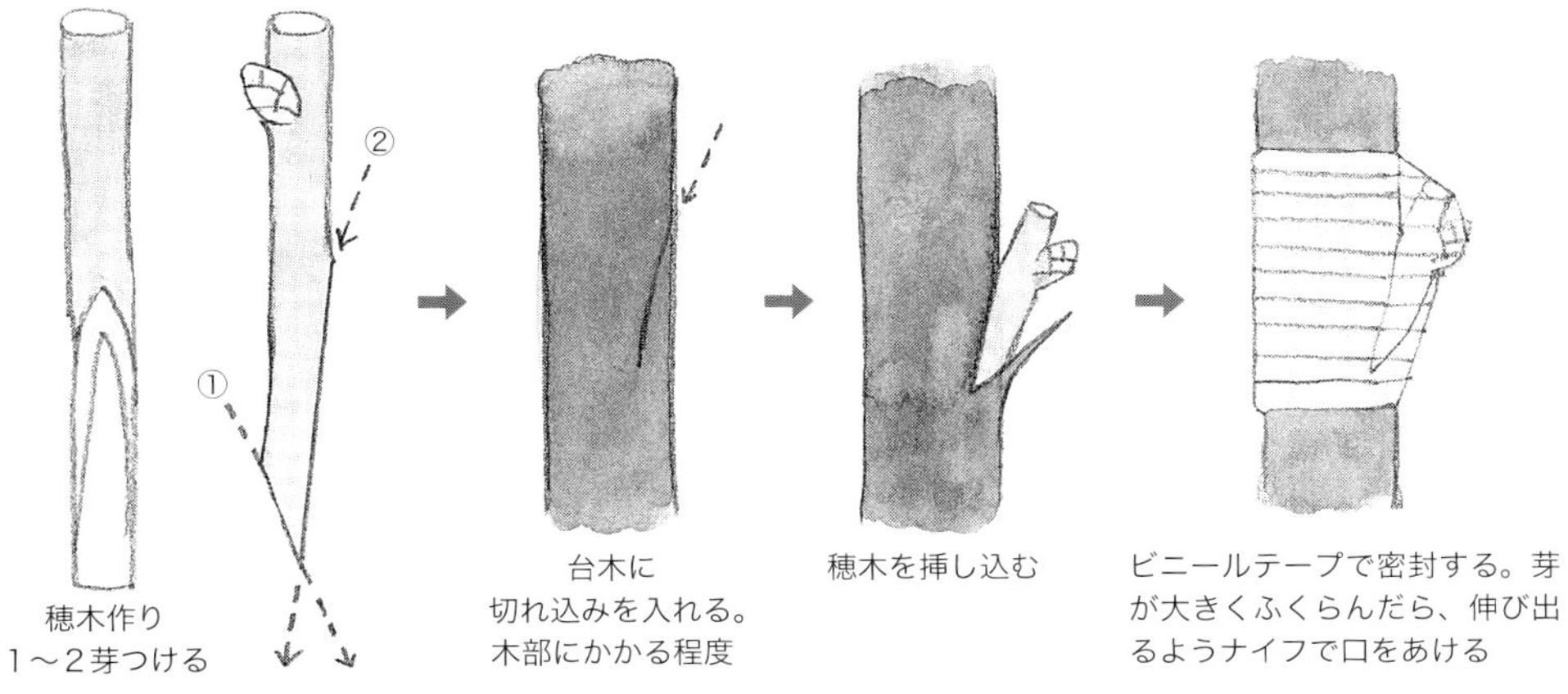
②
①
穂木作り
1～2芽つける
台木に
切れ込みを入れる。
木部にかかる程度
穂木を挿し込む
ビニールテープで密封する。芽
が大きくふくらんだら、伸び出
るようナイフで口をあける

取り木

取り木の手法は、ふやし方のなかで最も確実な方法であるといえます。左記の三つの方法があります。

高取り法

太い枝を環《かん》状《じょう》剥《はく》皮《ひ》し、水苔を巻いて樹皮を再び巻き、テーピングして根を出させる方法。細い枝は折れやすいので避けます。

波状取り法

地面近くの無理のない枝を倒し、土に密着するように何か所かを止め、そこに盛り土して、土中に発根させます。

盛り土法

株立ちやひこばえを取り木するもので、盛り土して土中で発根させせます。

取り木法

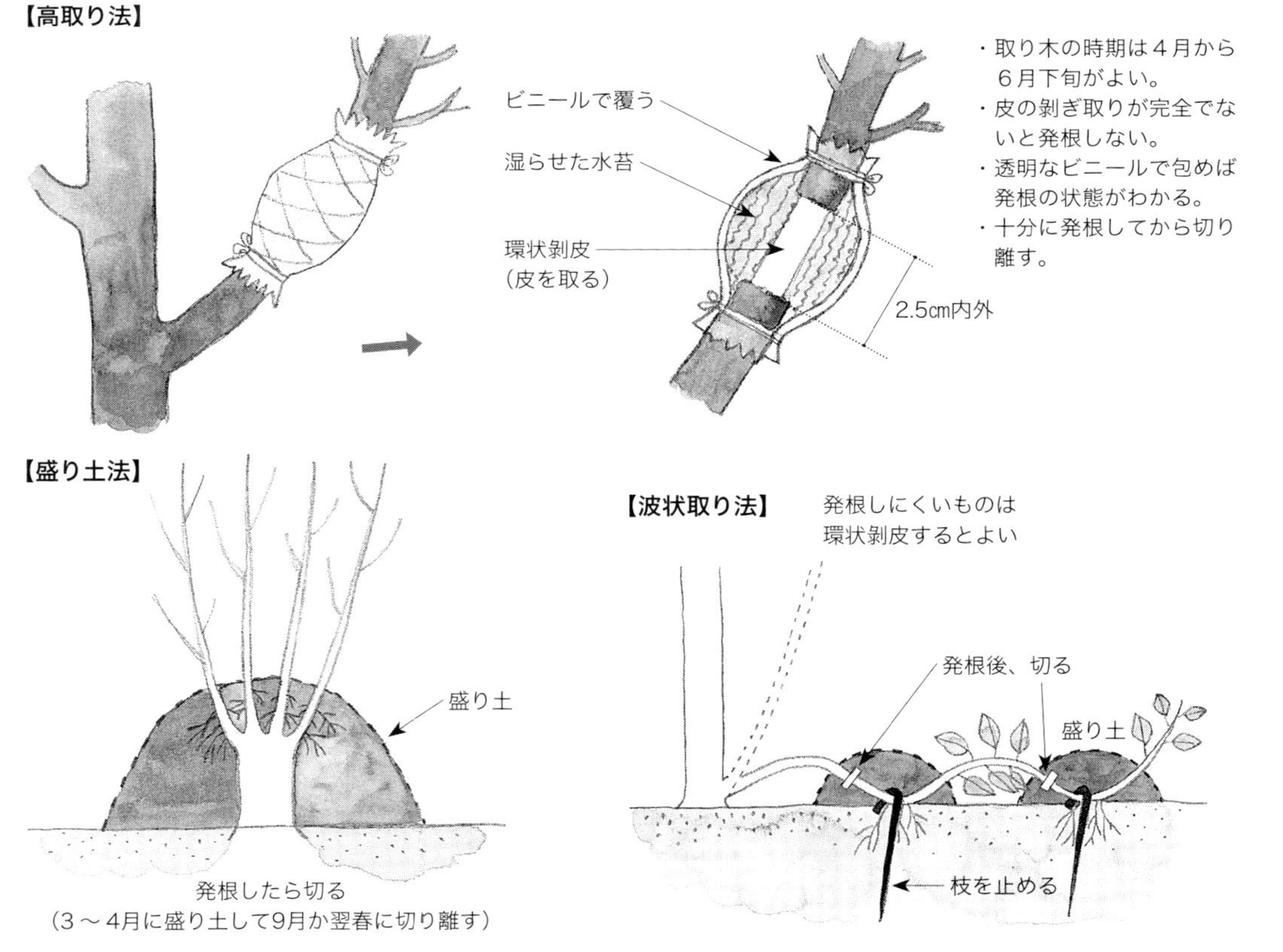

【高取り法】
ビニールで覆う
湿らせた水苔
環状剥皮
（皮を取る）
2.5㎝内外
・取り木の時期は４月から６月下旬がよい。
・皮の剥ぎ取りが完全でないと発根しない。
・透明なビニールで包めば発根の状態がわかる。
・十分に発根してから切り離す。
【盛り土法】
盛り土
発根したら切る
（3～4月に盛り土して9月か翌春に切り離す）
【波状取り法】
発根しにくいものは
環状剥皮するとよい
発根後、切る
盛り土
枝を止める

草花の育て方の基本

茶花の風情を目標に

指導 木崎信男

一般に花の栽培では、できるだけ植物を元気に育て、なるべくたくさんの肥料が吸収できるように用土を調節したり、日によく当てたりして根などの活動を活発にし、多くの肥料を施して立派な植物体を作り、たくさんの花が咲くように心配りします。

しかし、茶花などでは必ずしも立派な植物体、がっちりした植物体が好ましいとはかぎりません。また山草の愛好家はひじょうに締めた植物体を好みます。

このように栽培の方法は基本的に同じであっても、栽培目的によって用土、光の量、施肥量などに大きな差が生じます。したがって茶花の場合は、茶花に好ましい植物体を目的とした栽培管理をする必要があります。

ここでは、山草ほど締めず、野に自然に生えている程度の「並」の生育を目指し、まずは無難な中等の栽培法を説明します。

さらに楚々《そそ》とした、山草的草姿を希望するのであれば、肥料を少なくし、痩《や》せた用土を使うなど、それぞれの目的に合わせて調整、管理します。

まずは自分のなかに、その草ごとの「こんな姿で」という理想像、ないしは目的像をしっかりともつことです。そのうえで、その姿に近づけるように努力しましょう。

山野草栽培をイメージする

植物を育てるには、どういうものに育てたいのかという、イメージというか、意思がとても大事です。

たとえば日なたを好む植物があったとして、日なたで十分な肥料をやるとしっかりした株になり、たくさん花を咲かせます。水やりもたっぷりであればなおさらです。しかし茶花に使うのであれば、もう少し風にそよぐ風情、楚々としたやさしい趣がほしいと思うのではないでしょうか。この場合、日を弱めるとなよやかな姿になりますし、肥料を控える、土の力を弱くするなど、栽培の条件を変えることで、茶花らしい雰囲気の花に育ちます。

山野草栽培では、育てる人の感性が問われる部分も大きいと思います。それがまた山野草のおもしろさでもあります。

栽培環境を整える

都市化された地域では空気が乾き、気温が高く（とくに夜間の気温が下がらない）、植物を栽培するには適当ではありません。周りに木が多いとか、緑地があればずいぶん違うのですが、そのような環境が望めない場合、次にあげるもののうち、可能なものを実行するというのはいかがでしょうか。

　まず、なるべく木を植えます。生け垣を作ります。これで荒い風がやわらかくなり、空中湿度がいくらかでも高く保てるようになります。

　ベランダなどでも、木の鉢植えを近くに置くなどすることで、若干は風の荒さを和らげることになるはずです。

　庭に散った落ち葉は、一枚たりとも持ち出さないことです。取った草もその場で乾かして木の下などに敷きます。こうすると、ダンゴムシなどがふえますが、同時にダンゴムシが土を活性化することになり、植物がよく育つようになります。

　これでは見た目によくないと思うなら、堆肥《たいひ》を可能な限りの範囲で地面に敷きます。厚さ三センチくらいにし、暮れの頃と、梅雨明けの頃の二回ずつ毎年行います。

　ナメクジやダンゴムシはどうも、という人は蟇《ひき》蛙《がえる》を飼いましょう。オタマジャクシをもらって庭で育てるのです。連れてきた蟇蛙は居着きません。だからオタマジャクシから育てるのです。毎年少しずつ続けます。三年目には、ナメクジは探さなければ見つからなくなるでしょう。

水中植物は生きた水で育てる

泥中《でいちゅう》の蓮という表現があるように、蓮は泥の中で育つからきれいな水とは無縁だと思っている人も多いのではないでしょうか。

　しかしながら、蓮の栽培には新しい水が欠かせません。私たちが新鮮な空気を必要とするように、新しい水が不可欠なのです。家庭で、睡蓮《すいれん》鉢で育てるような場合は、毎朝新しい水を流し入れて水を替える必要があります。溜まり水や汚れた水では蓮は弱ってしまうのです。

　また蓮などは睡蓮鉢そのものが観賞の対象ですから、水をきれいに保たないと観賞に堪《た》えなくなります。睡蓮なども日当たりのよいところでないとよく咲かないのですが、日当たりがよいということは、それだけ水にアオミドロが発生して水が汚くなります。そのため絶えず水を替える必要が出てきます。また鉢の中に溜まる落ち葉や泥、緑の藻なども絶えず取り除くなど、手入れは欠かせません。

　蓮に限らず、水の中で育つ植物は、生きた水を必要としています。とくに立金《りゅうきん》花《か》のように流水に育つものはなおさらです。金魚を飼ってみればわかるように、水は生きていなければならないのです。

地植えと鉢植え

基本的には、大きく育つ草花で、鉢には収めきれないものは、地に直接植えます。また、地植えしたほうが鉢で栽培するよりも楽によい結果を得られるものも、地に植えます。

もっとも最近は大きな鉢も手に入るようになりましたから、本来は地植えのものも、鉢で栽培されるケースがふえてきています。

鉢植えの利点

鉢植えの利点は、用土を目的によってどのようにでも調節することができるという点でしょう。また、庭の土にネマトーダ（線虫）などの害虫がいたり、土壌伝染性の病原菌がいる場合、鉢の土ならば殺菌なども可能であり、地植えよりもずっと有利な場合があります。

また、日当たりのよい場所を追って鉢を移動させるなどという芸当ができる点も、大きな利点になることがあります。

しかし、鉢は地植えとは違って大量の土とつながっていないため、朝一度やっただけの水では乾いてし

棚の高さは50 〜 70cm に。棚材は吸湿性がある木材がよい。
プラスチック製の場合は全面に吸水性が高いタイプの人工芝を敷く。
水やり時に人工芝にも十分水をかけると、かなり長時間湿気を出し続け、
棚温度の上昇を防ぐと同時に、鉢周りの湿度を高く保てる。
棚は広いほうが、効果が高い。棚材や、その上に敷くものの吸湿性が重要。

まって栽培困難なことも起こります。土中の乾湿の差がたいへん大きくなるので、根が受けるストレスは大きく、育った姿にも影響が出ます。

どちらを選択するのかは、どのような姿に育てたいか、庭の環境はどうか、栽培管理にどの程度手をかけられるかなど、総合的に考えて決めましょう。

地植えで普通に育つよりも少し締めた感じ、楚々《そそ》とした風情に育てたいというような場合、管理しやすい鉢植えにしたりもします。

ただし鉢植えは手がかかる

鉢植えの場合、とくに大きな鉢（コンテナなど）は別として、普通の鉢は地面に直接置かないようにします。直接置くと、雨のときに泥跳ねが返り、葉裏を汚して生育を悪くします。また、地表面近くは夏は高温になり、生育上思わしくありません。ほかにも根が鉢底から出て地に直接張ると、移動などができなくなりますし、草姿にも影響してきます。

必ず栽培棚を作って（地上五〇～七〇センチくらい）、その上に鉢を並べるようにしましょう。

鉢植えでは原則として、毎年植え込みの用土を替えます。また根詰まりしないように植え替え時に根切りをすることも必要です。

また鉢栽培ではほとんど毎日、水やりもしなければなりません。このようなことも選択するうえで、忘れることのできない問題です。

土と鉢と水やりの関係

鉢で植物を育てている方は普通、かなりの数の鉢をもっているものです。私のような狭いところでも数百鉢。そのくらいの数の鉢の水やりを私は朝一回だけします(人によっては、涼しくするために夏は夕方やるという人もいますが、それでは草丈が伸びすぎます)。

水は一律にやります。鉢により水を少なめにといっても、量って何十ccやるというわけにはいきませんので、一律にたっぷりやって、余分は流れ出てしまうようにします。

それでも植物によって水の要求度は違いますから、その場合は用土と鉢で加減します。水もちをよくしたいときなど、土にピートモスを加えるだけで驚くほど水もちがよくなります。鉢もプラスチックの鉢は土が乾きません。日本の素焼きの鉢もさほどには乾きません。逆にテラコッタは夏にはどうしようもないほどに乾きます。また根の回った鉢はとてもよく土が乾きます。

このように水やりで加減するのではなく、用土、鉢、そして置き場所などで加減するのです。それを会得していくためには経験しかありません。トライ・アンド・エラーの覚悟で覚えていくことだと思います。

用土

地植えの場合、土の入れ替えはお金の問題でまずむずかしいでしょう。むしろ、そこの土をどう生かすかを考えることです。堆肥《たいひ》を何年にもわたって入れ続け、改良することがいちばんよいと思います。もし土を入れるのであれば、「黒土」ではなく「赤土」を入れましょう。そしてよく鋤《す》き込んで、土を作り込んでください。

　鉢の用土はそれぞれの土地で入手しやすいものを使います。関東では赤玉土がよいでしょう。

庭土と鉢用土との違い

庭の土を掘ってきて鉢植えに使うという人も多いかと思いますが、これはやめましょう。庭で植物がよく育っているからといって、その土が鉢用土としてもよいものとはいえないのです。

　庭土であれば、土の中の空間（空気が入っているところ）は一六パーセントくらいで問題ありませんが、鉢用土では二三パーセントくらい確保しないと、根腐れが起こりやすくなります。つまり鉢用土と庭の土では、要求される性質が違うのです。

　鉢用土は赤玉土の小粒に三割ほどの腐葉土を混ぜて基本土とします。赤玉土は必ずふるいでふるって、微塵《みじん》を除いてから使います。

　赤玉土は赤みの強い硬いものを良質とします。ただし「硬質赤玉」と呼ばれるもののなかで、つぶすと内部が軽石状のものがあり、これは栽培上、たいへん不具合です。

　腐葉土は葉の原形をもっていて、しかもぼろぼろに腐蝕しているものです。落ち葉の粉砕物ではいけません。これを四ミリ目程度のふるいを通して使います。粗いままでは使わないことです。

赤玉土（小粒）を1.2㎜目のふるいでふるって、微塵を抜く。

用途によって配合を変える

水はけのよい土を要求する草花には腐葉土を減らし、矢《や》作《はぎ》砂を水でよく洗って二割ほど混ぜて用います。通気と水もちをもう少しよくしたいときは、小粒の鹿沼土を混ぜます。

　水もちのよいことが必要な場合は、ピートモスを一～二割加えるとよいでしょう。ただし、ピートモスに馴れるまでは慎重に。一割を超したときには根腐れを気にしましょう。

　赤玉土と腐葉土の混合、あるいは赤玉土と桐生《きりゅう》砂・鹿沼土との混合などはきわめて痩《や》せた土です。山草ではこうした痩せた土を主に使いますが、もう少し豊かに育てるには、使い込んだ土のほうがよいと思います。右のような基本土を何年にもわたって再利用し、使い込むのです（一九一ページ参照）。

用土の配合

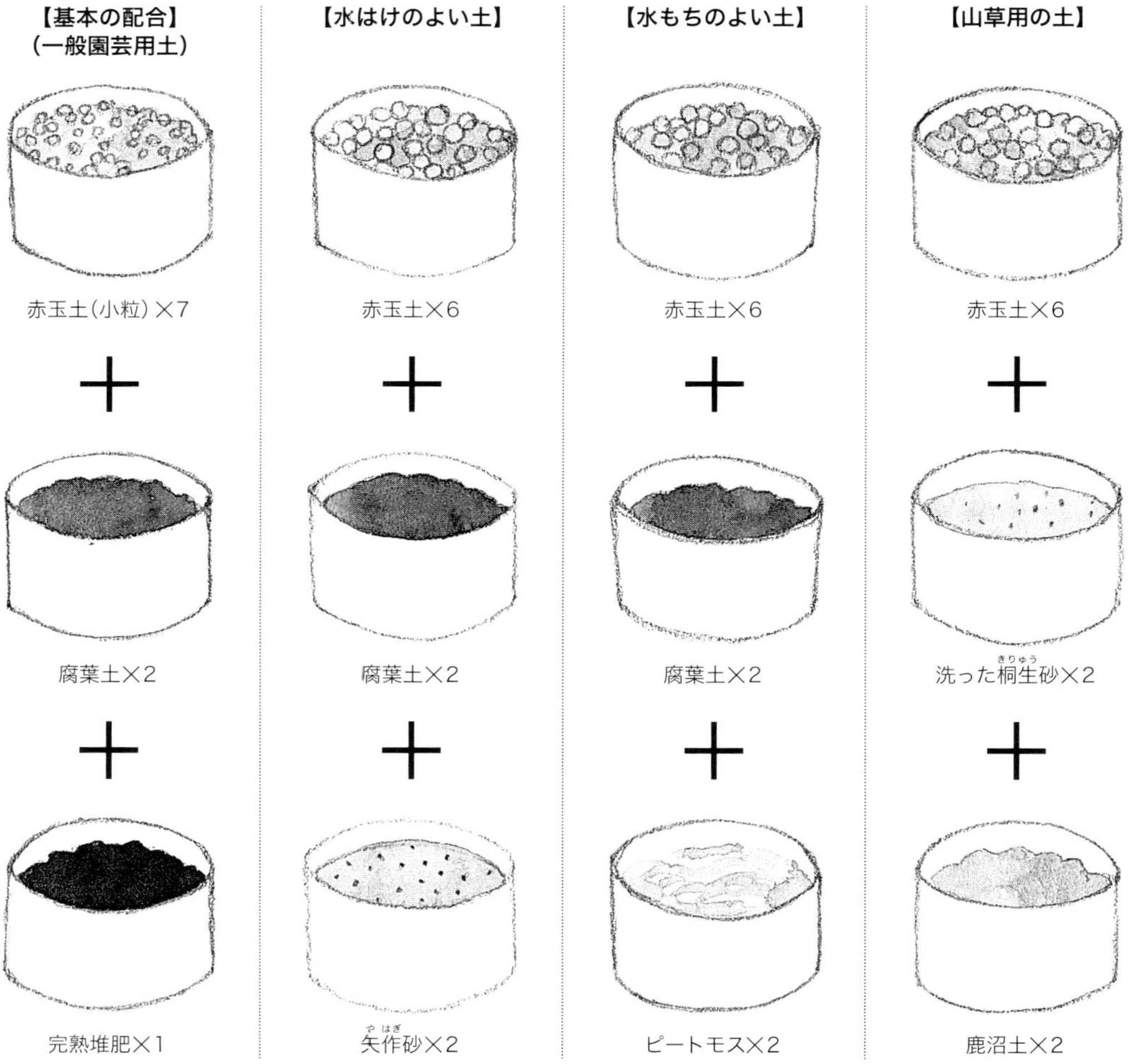
【基本の配合】
（一般園芸用土）
赤玉土（小粒）×7
腐葉土×2
完熟堆肥×1
【水はけのよい土】
赤玉土×6
腐葉土×2
矢《や》作《はぎ》砂×2
【水もちのよい土】
赤玉土×6
腐葉土×2
ピートモス×2
【山草用の土】
赤玉土×6
洗った桐生《きりゅう》砂×2
鹿沼土×2

※いずれも一例。腐葉土、堆肥は4㎜目くらいのふるいを無理にでも通して細かくする。

鉢用土の再利用

鉢用土の再利用は、土がもったいないから再利用しようとか、捨て場がないから仕方なく再利用するということではありません。土は植物が生えることによって、より植物が生えやすくなるのです。昔から、開墾したばかりの畑より先祖代々使い込んだ「熟畑」のほうが、作物がよくできることは常識となっています。それと同じです。

プランターや鉢を少量しか使っていない場合は、植えてあるものが終わったあとは、プランターや鉢から用土を取り出し、土を崩し、根や地上部を取り除きます。

そのとき注意して根を見てください。根に瘤《こぶ》があったら（マメ科植物の場合は瘤があるのが普通です。これは気にする必要ありません）、その土は分けて別に取っておきましょう。根に瘤があった土は、「線虫」の恐れがあります。ベゴニアやインパチエンス、山野草では三角草《みすみそう》（雪割草）などに出やすいものです。

また、草花が終わったのではなく、病気で枯れたと思われる場合も、その土は消毒してから使いましょう。

これらは別にまとめておいて、「NCS」で消毒してから使うとよいでしょう。「NCS」は園芸店で売っています。使いやすいものです。取り扱い説明書をよく読んで使ってください。

大切な微塵抜き

正常な用土は、なるべくいろいろな鉢やプランターなどで使った使用ずみ用土と混ぜておき、その後一か月くらい雨の当たらないところに置いて乾かしておきます。これを再利用するときに、〇・五〜〇・八ミリ目のふるいでふるい、細かい微塵《みじん》を除いてから使います。これが使い込んだ土ということになります。

この微塵抜きは栽培する植物によって加減します。根腐れの起こりやすいものでは丁寧に抜きますが、微塵は肥料を保ち、水を強く保っていてくれる、重要な役割もします。したがって、ものによっては、微塵抜きはしないで使うこともままあります。

一ミリ目以上の粗いふるいでふるうと、微塵が取れすぎて肥料もちの悪い土になり、生育が悪くなりますから注意しましょう。

園芸用として市販されているふるいは細かいもので一・五〜二ミリ目。調理用にはもう少し細かい目のものもあり、利用できますが、細かい目のふるいは注文して作ってもらいます。ステンレスの三〇メッシュの網を張ってもらうとよい具合です。曲げものを扱うところなら、直径三〇センチくらいのものを四千円くらいで作ってくれます。一生もちますから、決して高くはありません。

こうした用土に、腐葉土や堆肥《たいひ》などを加えてよく混ぜ、適度に湿らせてから、植物を植えます。

木崎流鉢用土再生法

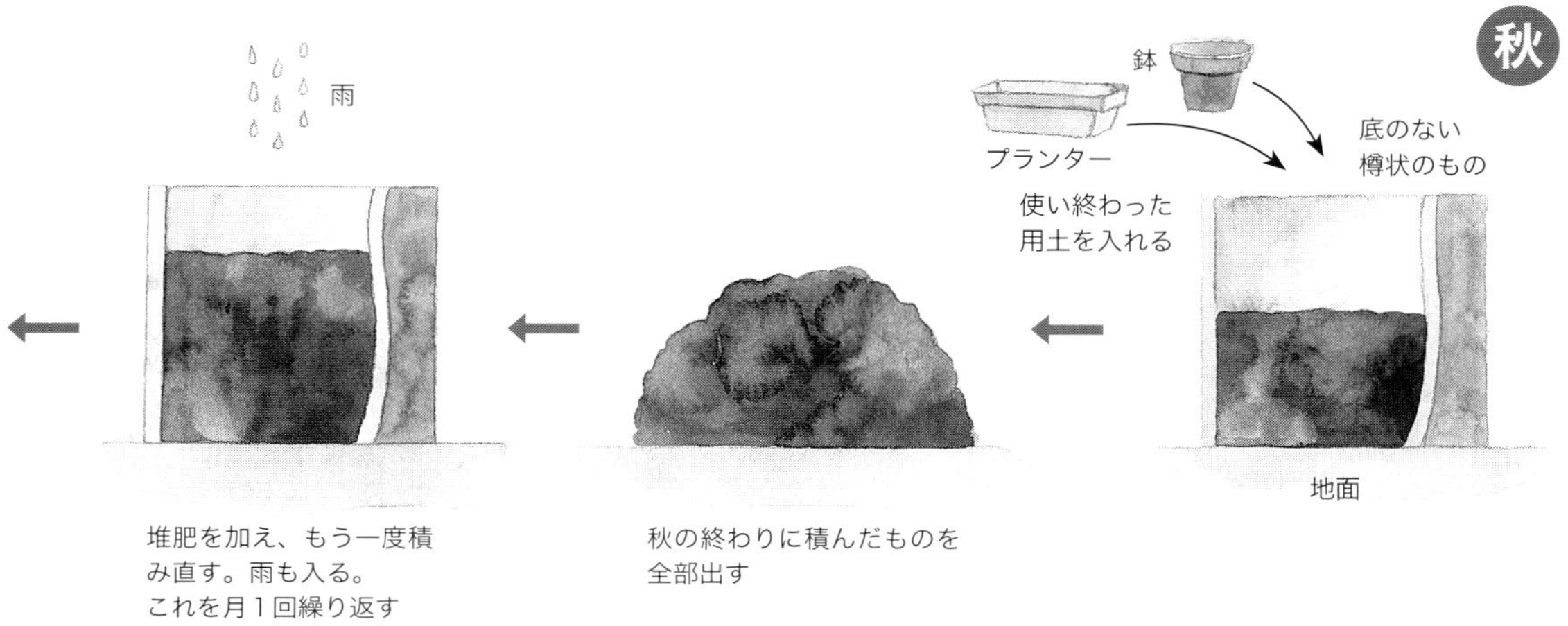
秋
鉢
プランター
底のない
樽状のもの
使い終わった
用土を入れる
地面
秋の終わりに積んだものを
全部出す
雨
堆肥を加え、もう一度積
み直す。雨も入る。
これを月１回繰り返す

木崎流鉢用土の再生法

私の家の鉢用土は、もとは赤玉土ですが、何年も使っているので形状は赤玉土のようではありません。その繰り返し使うやり方は次のとおりです。

底も蓋もない樽状のものを二個用意します（市販の専用のものを利用すると楽）。大きさは一年間に出る廃土の二倍近い容量が欲しいところです。ここでは樽と呼んでおきます。

土の上（コンクリート上は不可）にその樽を据えて、栽培の終わった鉢の土を一方の樽の中に投入します。粗い根や硬い茎などはざっと取ってから入れます。

秋の終わりにその土を全部出し、一割程度の量の堆肥《たいひ》をよく混ぜ、また樽に積み込みます。このあと一か月に一回くらいの割合でいったん全部出してよくかき混ぜ、樽にもどすことを繰り返します。

このとき水分を調べ、乾いていれば水を加え、湿りすぎているようであれば雨よけをします。三月半ばからの新しい春の植えものは、この土を使って植えます。

新しく出る使用済み用土は、別の樽のほうに入れます。そして同じように土を再生させます。

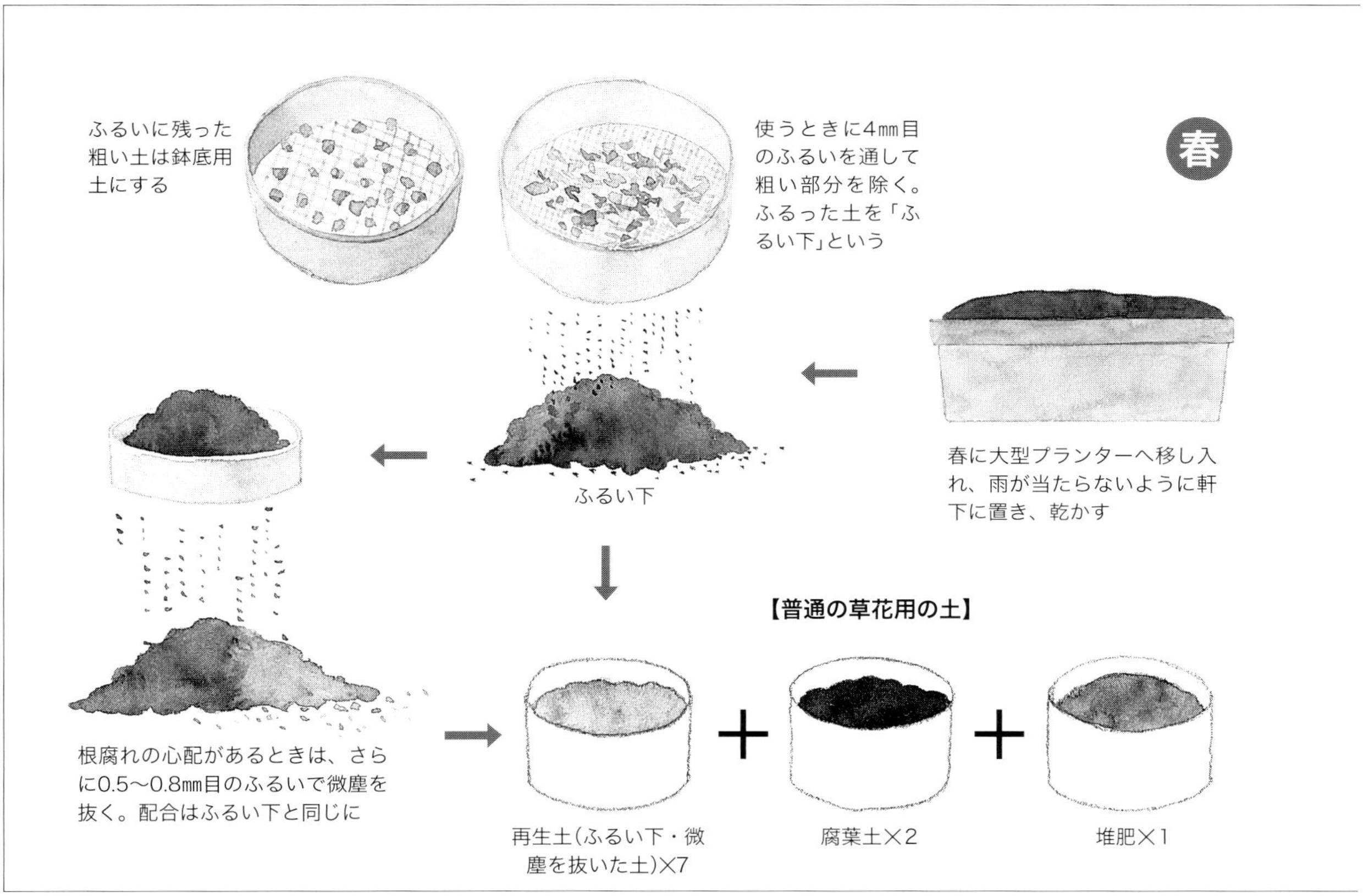
春
ふるいに残った粗い土は鉢底用土にする
使うときに4㎜目のふるいを通して粗い部分を除く。ふるった土を「ふるい下」という
春に大型プランターへ移し入れ、雨が当たらないように軒下に置き、乾かす
ふるい下
【普通の草花用の土】
根腐れの心配があるときは、さらに0.5〜0.8㎜目のふるいで微塵を抜く。配合はふるい下と同じに
再生土（ふるい下・微塵を抜いた土）×7
腐葉土×2
堆肥×1

再生土の用い方

再生した土（作り方は一九一・一九二ページ）を使って植えるときは、この再生土に腐葉土のみを加えたり、腐葉土と牛糞堆肥を半々に混ぜたものを三割ほど加えたりします。また植える植物によっては、再生土・腐葉土・堆肥を七・二・一くらいの割合で合わせたりもします。場合によってはBM熔燐《ようりん》を〇・二パーセントほど加えることもあります。

ただし、山草類には堆肥は使いません。肥料分が多すぎるからです。腐葉土だけを一～三割の間で加減して加えます。ものによってはそれに桐生《きりゅう》砂や矢作《やはぎ》砂を加えることもあります。

いずれにしても再生土にこれらを加えてよく混ぜ合わせ、水で適度に湿らせてから植物を植えます。

肥料と施肥

肥料には実に多くの種類がありますが、植物が吸収する形態ではそれほどの差はありません。使い勝手の違いと思ってよいでしょう。どの肥料も効かせ方を注意して手間を惜しまなければ、ほぼ同じような結果を得ることができます。

　私たちは毎日三度も食事をします。同様に植物にも生育期間中は切れ目なく、でこぼこが少ないように注意して肥料を施すのが基本です。

　どのくらい施すのかは、栽培の目的（目標）と植物の状況によります。葉の色や芽の出方などの観察をよくして、植物と対話しながら肥料を施すのが原則です。

　肥料はエネルギーではありません。逆に肥料を吸収するにはエネルギーがいります。光線不足の状態や植物体が弱っているとき、すなわち植物がエネルギー不足になっているときに、肥料をやって元気にしようとしても、効かないのです。

化成肥料と有機質肥料

化成肥料は形態によりますが、基本的にはすぐ効くようになっています。一方、有機質肥料はバクテリアやカビによって分解されて初めて効く形となります。有機質肥料がゆっくりと長く効くのはこのためです。

　化成肥料を使った野菜はまずいとよくいうのは、微量要素など土がもついろいろなものが有効に働くような土作りができていないか、欲張って化成肥料をやりすぎているかが原因です。

　肥料が多いと植物体は大きくなりますが、その細胞の中に含まれる糖質その他のものを、植物が十分に準備する能力が追いつかない状態で体が大きくなってしまいますから、味が悪かったり、花の色が薄かったりということになります。

　有機質肥料はもともと含まれる養分が少ないうえに、含まれる成分の有効化率が五〇パーセントなのです。そのため同じ量を施しても、どうしても化成肥料のほうが多くやった結果を示すことになってしまいます。

　また化成肥料は水に溶けやすく（コーティング肥料など緩効性《かんこうせい》肥料は別）、一時に効いてあとはなくなってしまうという、波が大きくなりがちな点も十分に注意する必要があります。

　この波を小さくするためには、肥料のやり方を工夫するか、土の保肥力を高く保たなければなりませんが、保肥力の担い手は土の小さな粒が大部分です。ところがこの微細な粒子は、排水性を悪くするという欠点があります。

　したがって排水性を確保するためには土の団粒化が必須です。そして、それを実現するには堆肥《たいひ》の補給と耕すことが重要となります。時間はかかりますが、土の団粒化はこの二つの方法に尽きます。

地植えの施肥

芽の出る前と花後の２回、緩効性肥料を施す。

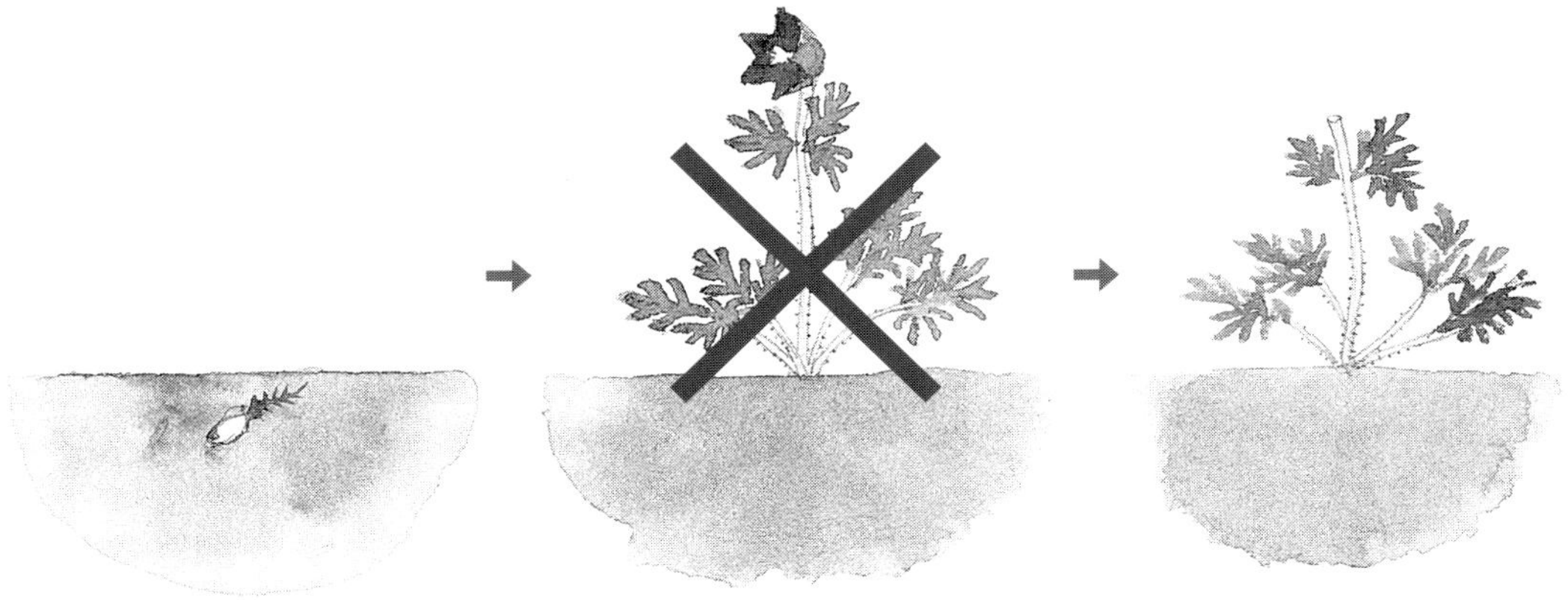

芽の出る前　花どきは与えない　花後

鉢植えの施肥

原則として生育中は切れ目なく効くように施す。
緩効性であれば1か月半に1度、液肥であれば5日に1度くらいを目安に。
夏でも生育中であれば施す。

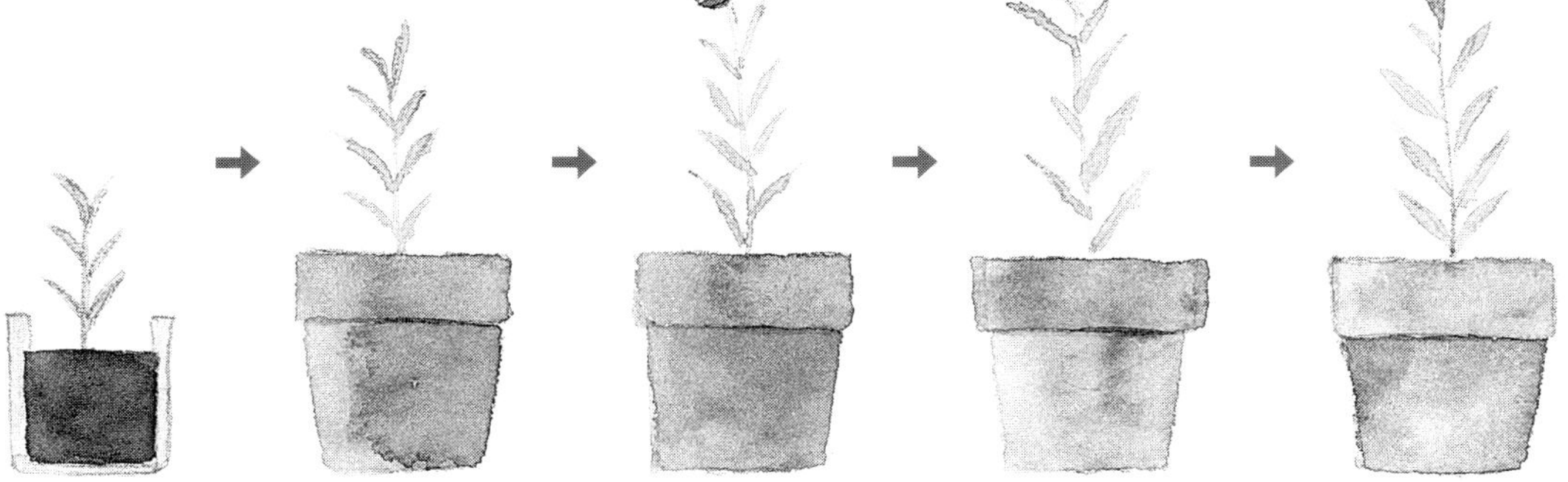

ポット苗　植えつけ後　着蕾時　開花期　花後

日当たりと遮光

植物体の九五パーセントは水と太陽でできています。言い方を換えると、炭素同化作用で作られたものでできているということです。生きていくためのエネルギーも肥料を吸収するためのエネルギーも、すべて太陽光が元です。

これだけ大切な光エネルギーですが、気温三〇度のとき、あの強い太陽光が当たって、それが熱に変わると、葉の表面温度は四〇度を超えてもおかしくはありません。

ほとんどの植物の細胞は、四二度くらいより高い温度にさらされると壊れてしまいます。

また光飽和《ほうわ》といって、一定の量を超える光が当たっても、葉の葉緑体は飽和点以上の光を利用することはできません。日なたの植物は飽和点が高く、林床《りんしょう》などに生える半日陰の植物は飽和点が低い傾向にあり、飽和点を超えた光は熱となって葉面温度を上げ、害を及ぼします。

たいていの植物は、直射日光が四時間くらい当たる環境で十分まともに育ちます。太陽光が強く、それが限度を超えて当たることは、植物にとってかえって害を及ぼすことになるわけです。夏場、とくに気温が高くなり始めたら、遮光《しゃこう》の必要があることがわかると思います。十月頃から五月頃までは、ほとんどの植物が直射でよいこともわかります。

遮光の方法

都市化した地域では緑が少なく、乾燥しているため、日当たりのよい場所では、夏場の遮光が必須となります。遮光の方法としては、個々の事例に応じてするしかないのですが、寒冷紗《かんれいしゃ》を張るのがいちばん早道です。ガーデンセンターなどで化学繊維製の寒冷紗のようなものが売られていますから、それを用いるとよいでしょう。遮光率三〇パーセントと五〇パーセントとを日の当たり具合によって使い分けます。張るときは北を高く、南を低くするのがコツ。

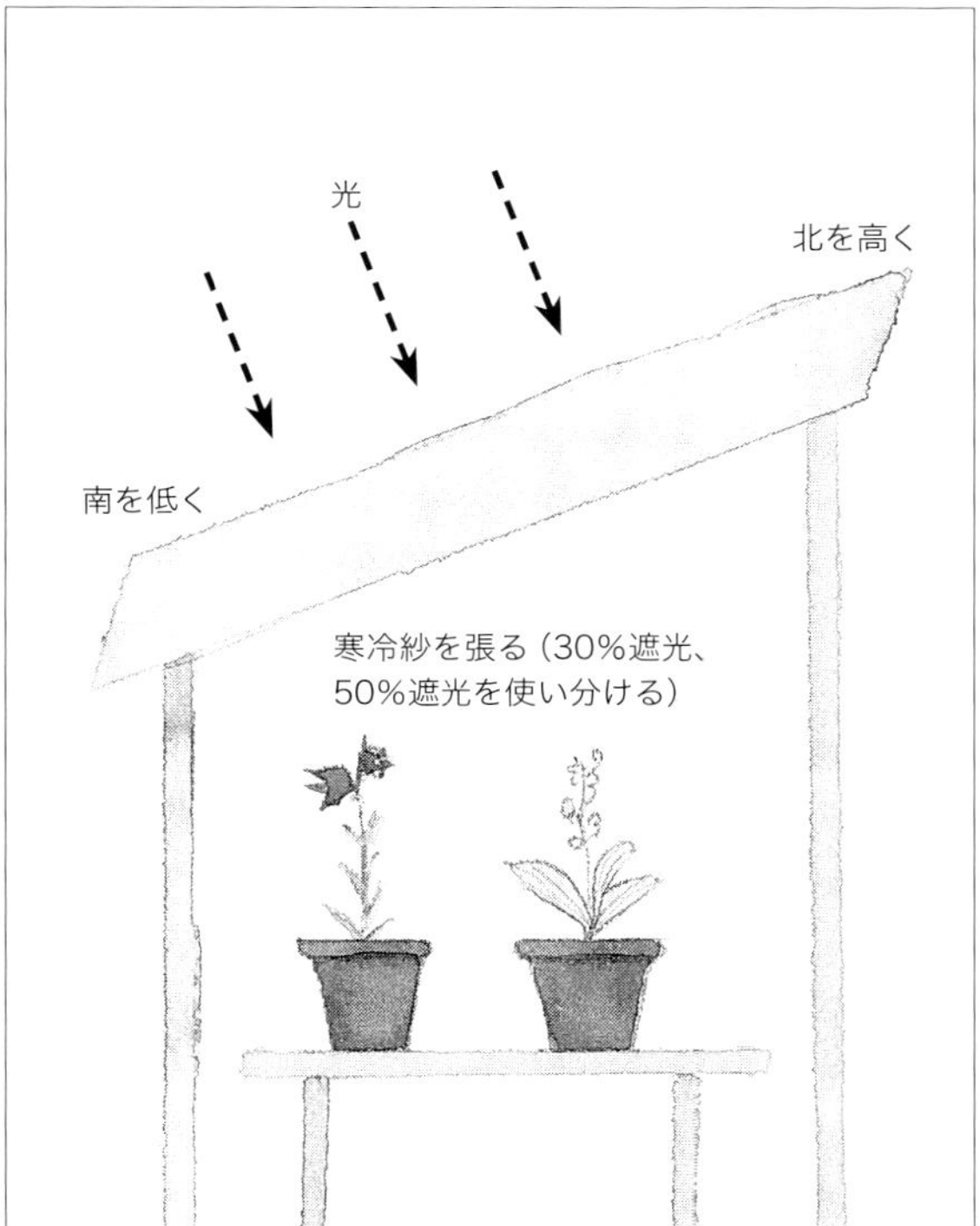

空中湿度

林床は土自体が水分を含み、それを覆う木々の葉からも水分は絶えず吐き出されています。そして風が強く抜けることもありませんから、昼間でも七〇パーセントくらいの湿度はいつも保たれています。そのようなところに生える植物は、そうした環境に合うように変わってきています。とくに夜間は九〇パーセントを超える湿度となるのではないでしょうか。

それに引き替え、都市化された地域の環境はひじょうに乾いています。昼間気温が高く、湿度も低い状態では、根からの水分の吸い上げだけでは、葉の中の水分を保ちきれず、昼前からしおれてきます。このとき水をやっても、根の能力が環境に追いついていないのですから、しおれを元には戻せません。そしてその状態が長く続くと、やがて落葉します。それは植物が個体を守るために見せる自己防衛反応です。

こうした都市化地域の悪条件のなかで、林床に自生するような植物を育てることは、実はたいへん苛酷なことを強いていることになります。林床の湿度を再現するのはむずかしいにしても、空中湿度の高いことを要求する植物には、できるだけ湿度を高めてやる工夫をすることが大事です。

この本で「空中湿度を高く」と記した植物にはやはりそうした工夫は必要です。少しでもそのギャップを埋めるべく、なるべく周りに多くの木を植え、周りに打ち水をするなど、湿度を高める工夫がいります。図のような方法や、ミスト装置とファンを組み合わせる方法などもあります。

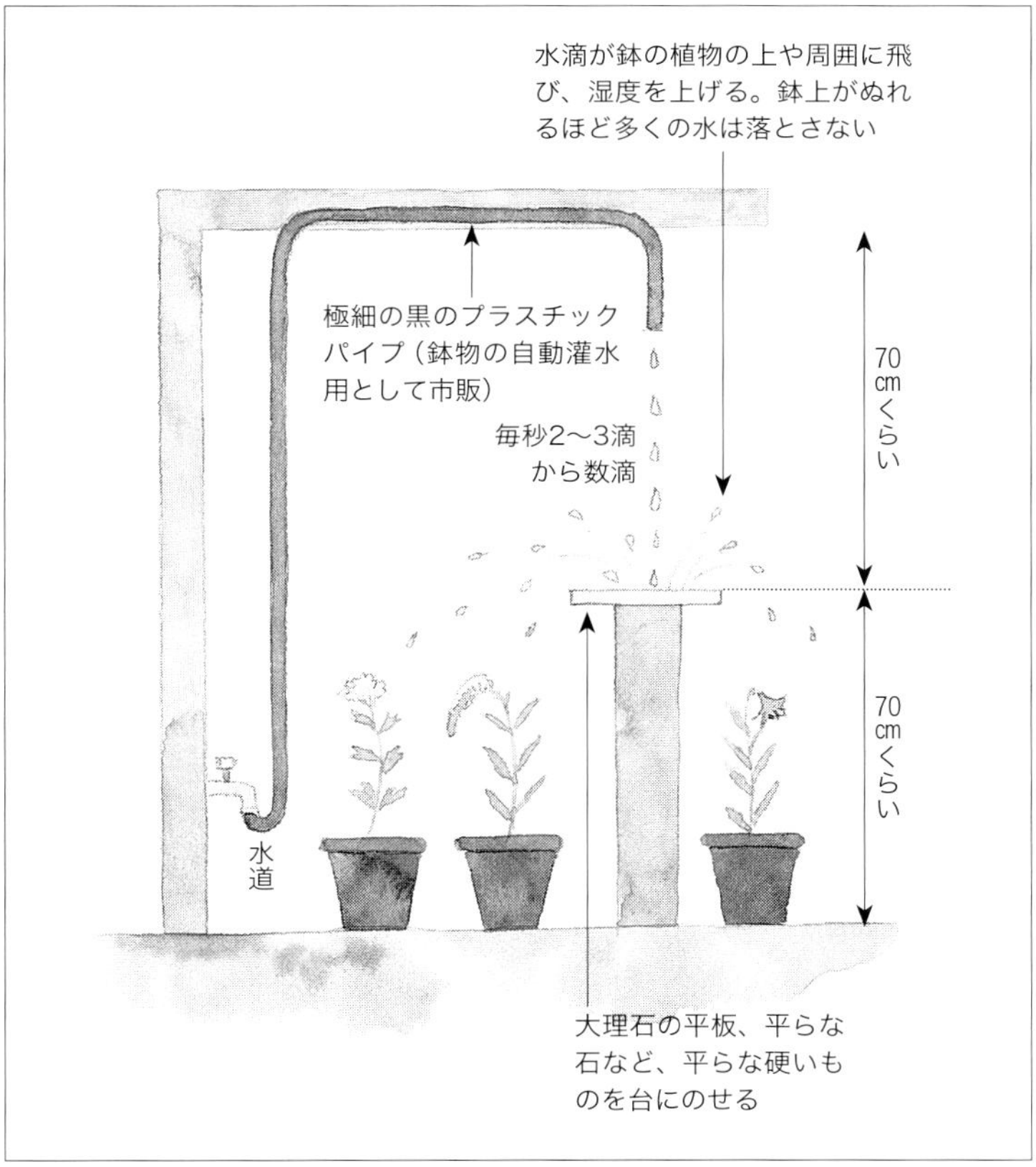
水滴が鉢の植物の上や周囲に飛び、湿度を上げる。鉢上がぬれるほど多くの水は落とさない
極細の黒のプラスチックパイプ（鉢物の自動灌水用として市販）
毎秒2〜3滴から数滴
70cmくらい
70cmくらい
水道
大理石の平板、平らな石など、平らな硬いものを台にのせる

水やり

水やりは鉢栽培にとっては、最も大切な作業でしょう。

　その基本は朝、水をやります。そしてそのとき、その日の天気、置き場所、鉢の状態など各種の条件を計算のうえ、水をやらなくても夕方まで「しおれない」と判断できればやらないことです。「もたない」と判断される場合は、乾いていなくてもやります。

　予想に反して天気が変わり乾いてきたら、仕方がありません。日中でも水をやります。

　乾くと判断して水を十分やったのに、夕方までもたないとすれば（そういう日がたびたび起こるなら）、鉢の種類や用土の調合が適していないか、真夏だけ別の対策を考えるかします。

まんべんなく時間をかけて

水やりは丁寧にするなら、水差しで周りからぐるりとやるか、あるいはダブッと一度に多くの水をやって、いったん鉢の上部に水が溜まるようにやります。

　赤玉土主体など水はけのよい用土では、一方からチョロチョロやると、水が通りやすいところを通って底から出てきて、すべての土の粒に水が吸収されてはいない状態になります。そうするとすぐに乾いてきます。

　雨の翌日の鉢は乾くのに時間がかかることをよく経験しますが、時間をかけて湿らせると、すべての土粒が、含むことのできる最大限の水を含むので、なかなか乾かないのです。

　夏など乾きすぎて困るときは、一度水をやり終わったらもう一度やり直すという手があります。二度にわたり、時間をかけて土を湿らせると、土が十分水を含むので、乾きにくくなります。

　夏場、夕方までどうしてももたない場合は、その鉢だけ鉢皿を下に敷いて水を溜めるという方法もあります。水の量は、午後三時頃にはなくなるくらいの量にします。

　地植えの場合、基本的には「天からもらい水」でよいのですが、夏は三日間、雨が降らなかったら水をやったほうがよいでしょう。

とくに暑いとき、乾いた風のあるときは鉢の下に鉢皿を敷いて水を張る。
　鉢に溜める水の量は午後3時頃にはなくなる程度。足りなくなれば日中に足してもよい。

ふやし方

多年草で常緑でない草花の場合

多くの草花では春、芽が出てくる前に株分けをします。芽が伸び出すと同時に新しく根も伸びてくるので、芽の伸び出す直前に行うことです。芽が伸び出してきてしまってからでは遅いのです。

春以外の時期が「適期」の草花については、どの本でも適期がいつかはっきり書かれているので、それに従います。

株分けの方法は、植物を土から抜いたら、バケツなどに張った水の中に浸けて静かに揺すり、土をすべて落としてしまいます。そのうえでよく観察してください。自然にどこで分ければよいか、わかるはずです。植物と対話する、あるいは植物に教えてもらうわけです。分けるときは、なるべく根を傷めないように、カッターナイフなどを使ったほうがよいでしょう。

慣れてくれば、水に浸けて土を落とす必要はありません。そのまま土を振るって落とします。

多年草で常緑の草花の場合

このタイプの草花の場合、芽の伸び出しに気づきにくいこともありますが、基本は同じです。常緑のもののほうが芽出しが遅い傾向にあります。

株分け

常緑のものは株分けのときに葉があるので、作業中に、あるいは植えつけてからもしばらくは、葉から水分が逃げて株が弱ります。このことを考えて、できるだけ根を傷めないように、慎重に扱います。

挿し芽

挿し芽でもふやせます。適期と挿し穂を取る場所は、草花の種類によって個々に違います。

多くは六月に、その春に伸びた枝や蔓《つる》を土に挿します。もう一つの適期は三月で、前年伸びて休んでいる枝を挿す方法です。

挿し芽についての細かい注意点はそのための本が多数出ていますので、それらを参考にしてください。トライ・アンド・エラーで経験を積むことも大切です。

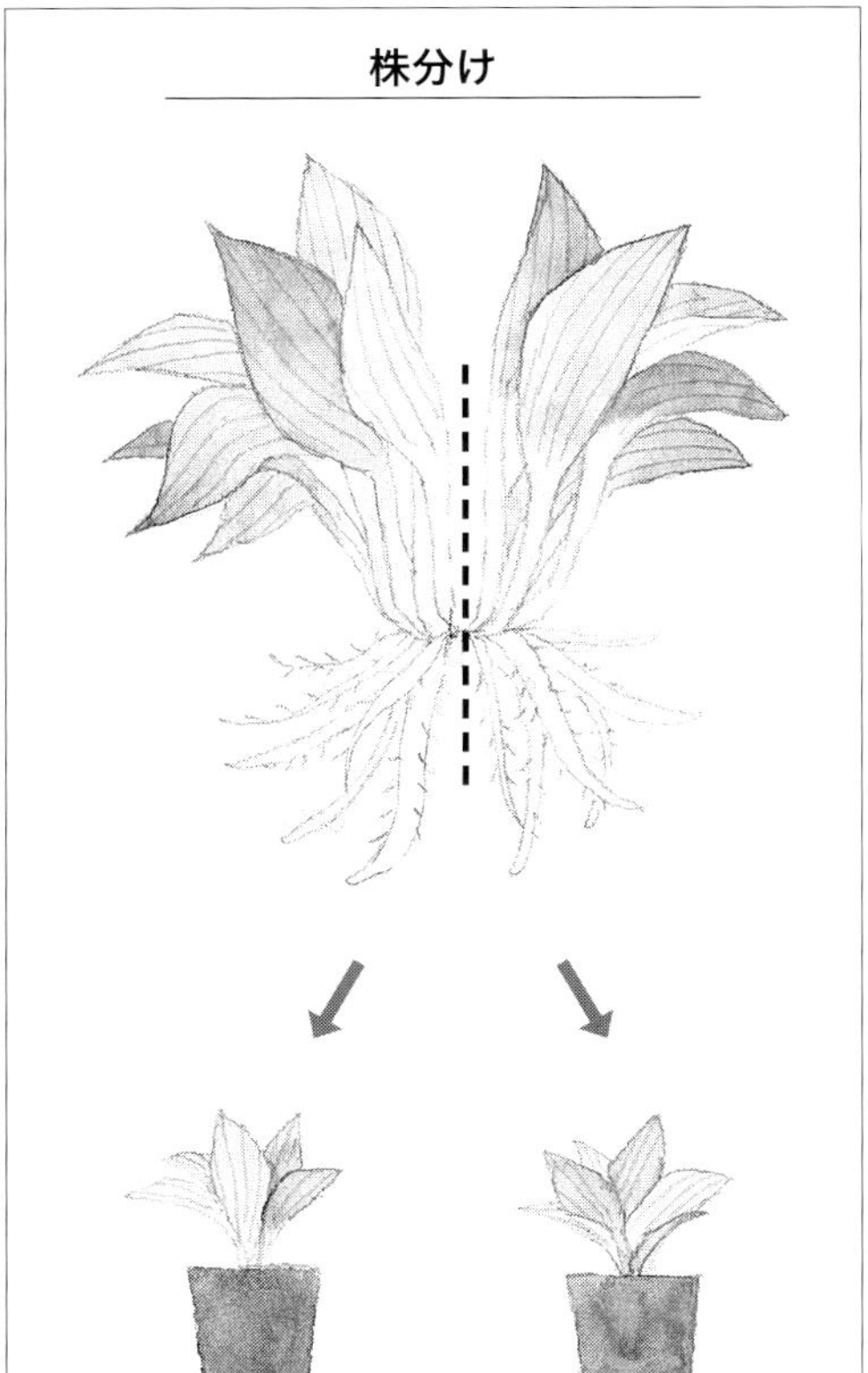

種まき

種まきでもふやすことができます。一年草は種まきによってふやすのが原則ですが、多年草も一時に多くの株が必要な場合など、種をまいてふやします。

種をまく時期は栽培の狙いによってかなり違うのですが、一般には春と秋の彼岸前後というのが主流です。しかし野生種に近いものでは「採りまき」といって、種が熟したらすぐにまくことが多いのです。そのほうが自然でしょう。採りまきでは発芽までの時間が長くなり、管理が面倒なので、春になってまいたりもします。しかし、種によっては乾燥すると死んでしまうものや、種自身の寿命が短いものなどがあるので、自然に熟したらすぐにまくほうがうまくいきます。

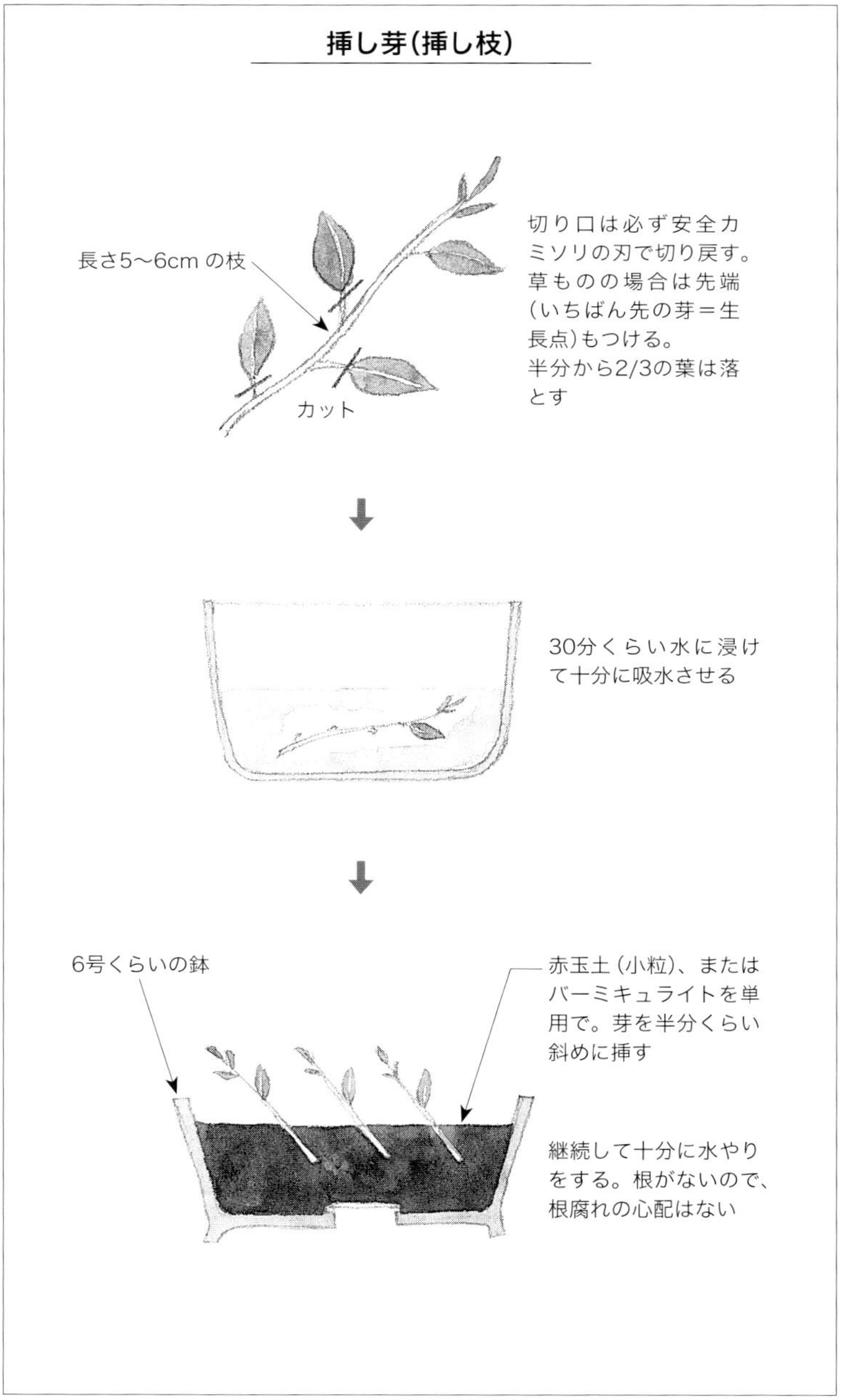

挿し芽(挿し枝)
長さ5～6cmの枝
カット
切り口は必ず安全カミソリの刃で切り戻す。草ものの場合は先端(いちばん先の芽＝生長点)もつける。
半分から2/3の葉は落とす
30分くらい水に浸けて十分に吸水させる
6号くらいの鉢
赤玉土(小粒)、またはバーミキュライトを単用で。芽を半分くらい斜めに挿す
継続して十分に水やりをする。根がないので、根腐れの心配はない

種まき

右のふるい下を0.8㎜くらいの目の細かいふるい（絹ぶるい、裏ごしなどの代用も可）でふるう。これを「ふるい上」「細かい用土」と呼ぶ。このとき下に落ちたものは用いない。

ふるい下

細かい用土
（ふるい上）

まき床の用土は雑菌が少なく、水もちがよく、通気がよいものを。まく種より粒が小さいほうがよい。赤玉土（小粒）、バーミキュライトなどを1.5～2㎜目のふるいでふるう

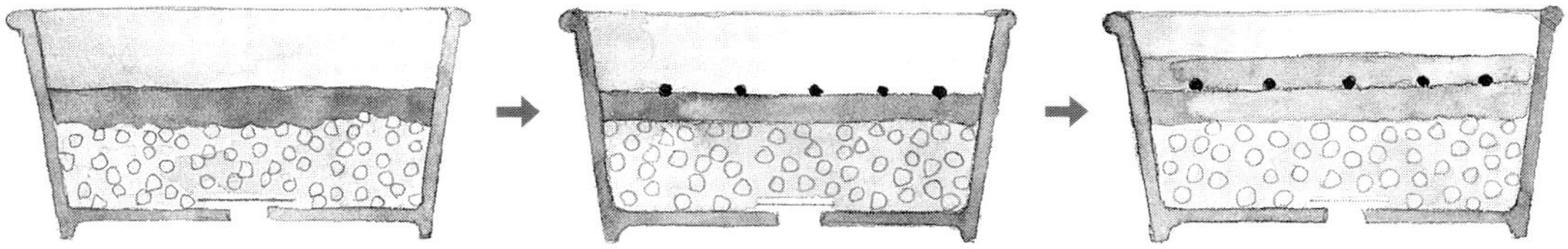

赤玉土を平らに入れる。赤玉土の凹凸がなくなるように、上の細かい用土をのせて、平らにならす。鉢は４～５号の平鉢

種をまく。

種が隠れるように、上からも細かい用土をかけ、平らにならす

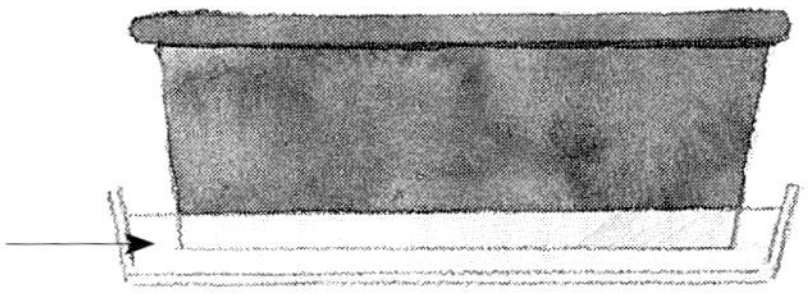
水を張る

鉢皿に水を入れて鉢を置き、１時間くらいかけて鉢底から吸水させる

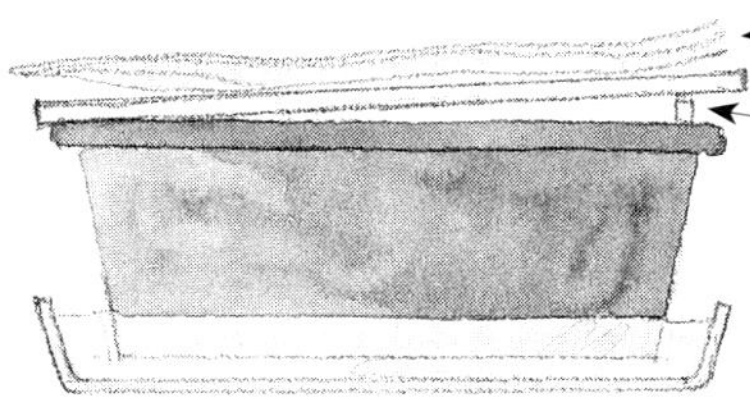
新聞紙
ガラス板
割り箸

気温の低いときや空気の乾いているときは、新聞紙を重ねてガラス板をのせておく（過湿にならないように、片側に割り箸をあてて隙間を作る）

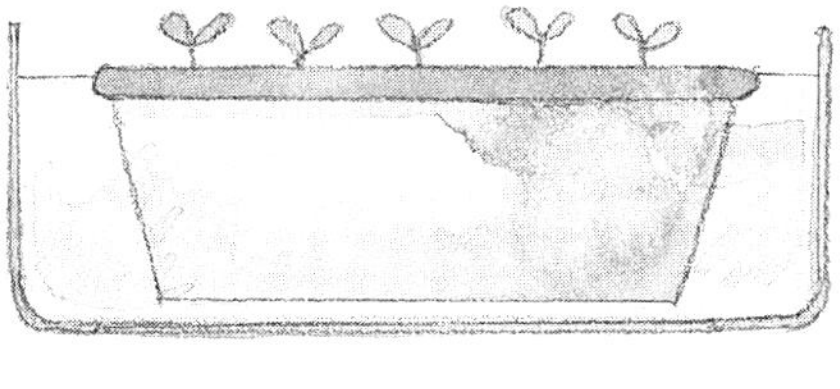

双葉が開き、本葉がわずかに見え始めたら、２～2.5号のビニールポットに移植する。移植の際、まき床を床面すれすれまで水の中に入れて水で緩《ゆる》めると、根が切れる心配がない

移植と定植

草花の移植の時期は株分けの時期と同じです。すなわち芽が出る前に行います。多くの場合は春。春以外を適期とするものについては本などで確認します。

多年草の多くは株分けが必要

多年草では多くの場合、移植の際に株分けも必要になります。株があまりに大きくなった場合は活力が失われ、古くなった部分が枯れてくるからです。移植する際、そうした大株では株を割って古くなった部分を取り去り、元気な部分だけを植えつけるようにします。

移植する前に考えることは、自身の「好み」のほか、光や風通し、土質がその植物に適するかどうかを調べることです。その植物に合うように「地ごしらえ」をする必要があるかもしれません。

定植とは、苗床やポットで作られた苗を所定の場所や目的の鉢に植えつけることをいいます。

苗には適当な苗齢があって、それを過ぎた過熟苗や老化苗を植えるのは、あとの生育がよくないから避けます。

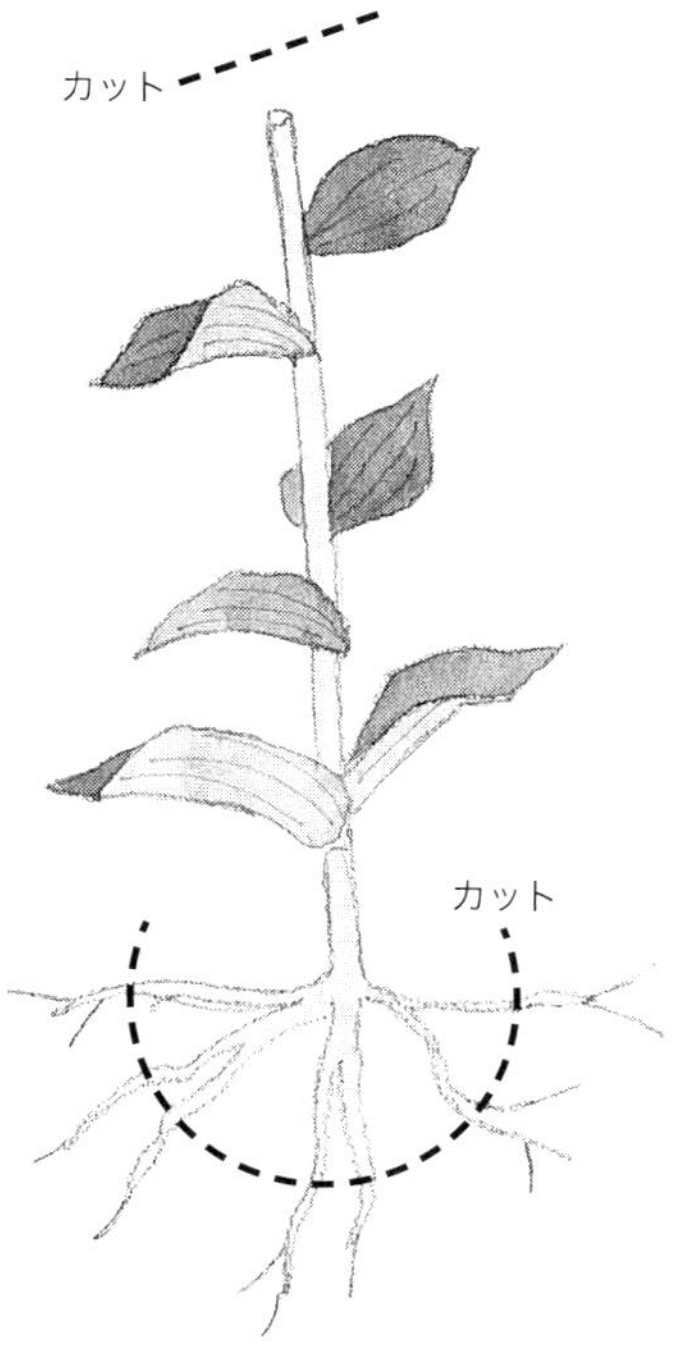

１年栽培したものの植え替え時には、根を1/2 〜 1/3くらい切ってから植え替える。花殻も切り落とす。

根切りで根の再生を図る

鉢植えでは根が鉢の壁にぶつかり、壁に沿って伸びるため、鉢のすぐ内側は根ばかりになります。この現象を根詰まりと呼び、こうなると株が急速に弱ってくるので、鉢を大きくして根が新しく伸びる余地を作ったり、老化した根を切り取って用土も新しくし、根を再生させる方法をとることもあります。これらも広い意味では移植です。

鉢栽培では、順調に育つ植物は約一か月ごとに直径が約三センチ大きい鉢に移し替えていきます。こうすると素直に大きくなります。

ただし、山草などを鉢植えのままで観賞する場合は、大きくなりすぎると鉢とのバランス上具合が悪く、鉢を大きくすることはあまりしません。切り花にするのであれば、素直に育ったもののほうがよいので、生育中の鉢を大きくすることも必要かもしれません。

暑いときの手当て

ほとんどの植物にとって気温が三〇度を超えることは生育上、思わしくありません。そこに日が当たると、葉面温度はさらに数度は高くなり、葉焼けなどの現象が出てきます。

しかし植物体はそのほとんどが炭素同化作用の結果から作られていることを考えれば、日に当てないということはできません。

葉面温度を下げる工夫を

そこで「日当たりと遮光《しゃこう》」（一九六ページ）のところで書いたとおり、植物にとって光飽和《ほうわ》以上の光は有害なだけですから、真夏の気温の高い時期の遮光はたいへん重要となります。

植物によっては五〇パーセントも六〇パーセントも遮光したほうがよい場合もあります。葦簀《よしず》や簾《すだれ》、寒冷《かんれい》紗《しゃ》を使うなど、個々の方法で遮光してください。

また、葉面温度を下げるには、その周りの空気を動かすことが有効です。葉の温度を空気は運び去ってくれますし、空気が動けば葉から放出される水蒸気は運び去られて新たに水蒸気を出しやすくなります。すなわち気化熱を奪われるので、葉の温度が下がるわけです。風通しをよくしたり、扇風機を利用して風を送ったりして周りの空気を動かします。

左図のように、積極的に微粒の水を植物全体にかけ、その部分の温度を下げるのも有効ですが、これには設備が必要なので誰にでもというわけにはいかないかもしれません。

植物にとって、暑いときの水切れは致命的な結果になります。水切れを起こさないような注意は当然です。水やりは早朝、日が高く昇らないうちにすることも大事です。

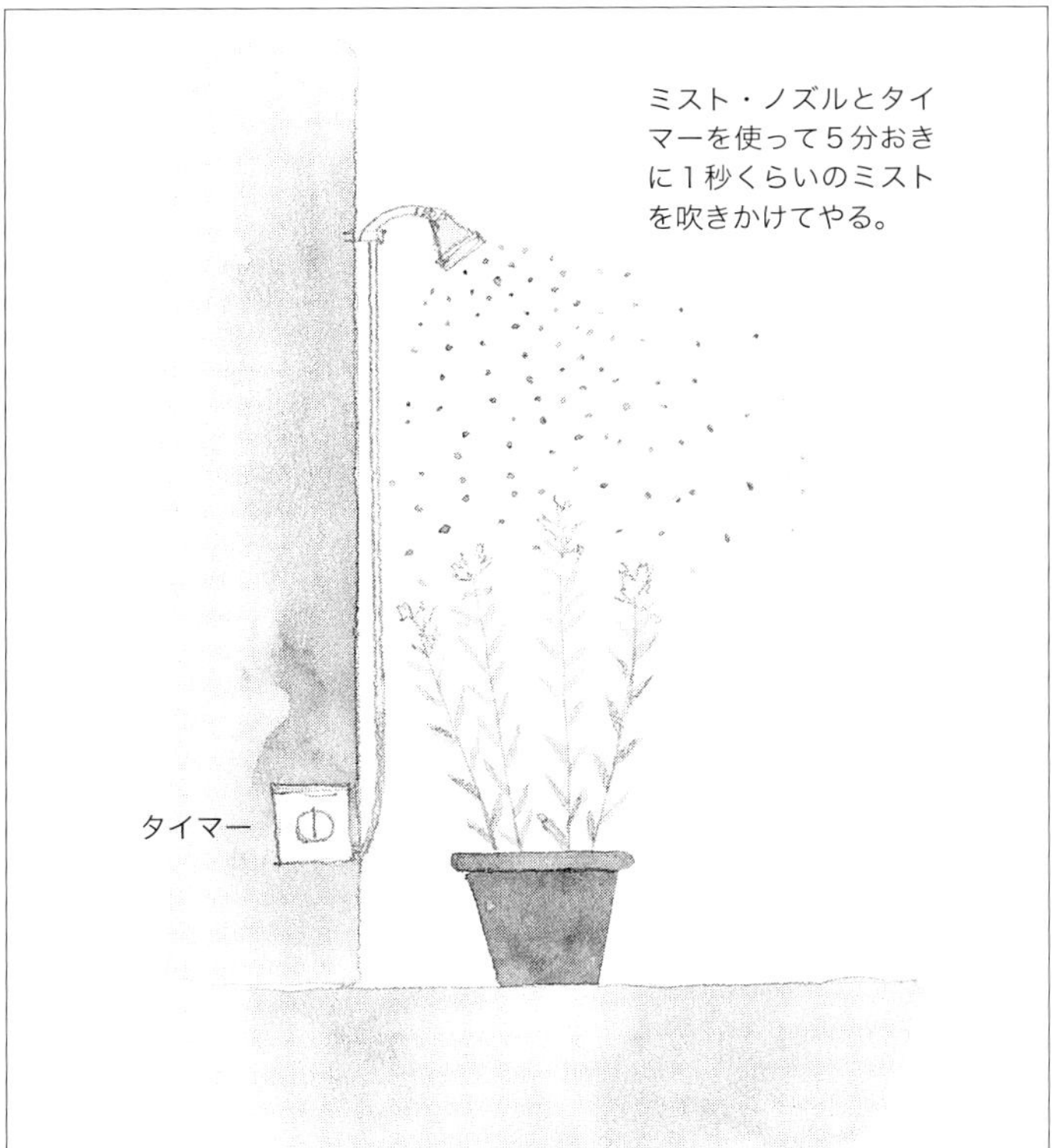
ミスト・ノズルとタイマーを使って５分おきに１秒くらいのミストを吹きかけてやる。
タイマー

花の切り方と花後の手当て

茶花では花を切り、その花をいけるのですから、育てた花を切ることが前提となります。その場合、花の切り方によって、翌年の花つきに影響が出たり、生長に負担がかかったりすることがあるので注意が必要です。

一年草の場合は、必要ならばどのような切り方をしてもかまいません。どのみちその株を来年使うことはないのですから。

葉をできるだけ残して切る

多年草の場合は、一部の種類を除いて、植物は花を咲かせるために全精力を使っています。そして花が終わってからも、来年のための力を根に蓄えたり、新しく伸ばすための芽を作ったりします。それらの原料やエネルギーは、葉で行われる炭素同化作用によってもたらされます。

花を咲かせたあとの葉が、植物にとっていかに大切かがわかるのではないでしょうか。

切らずに花を愛《め》でるのであれば、花が咲いたあとは、一枚の葉をも大切にし、花首から切ります。

しかし、花を切っていけるために栽培しているのであれば、切らないわけにもいかないので、仕方ありません。その場合、原則として、葉の枚数を半分まで（茎を半分の長さまで切るというのもあるでしょうし、多くの茎が立つものでは立っている茎の半数まで切るというのもあるでしょう）は残すようにしましょう。

種を必要としない場合は種をつけさせないように、花殻《はながら》を丹念に取り除いてください。花殻を取らないと、植物は種を結実させようとし、そのために多大なエネルギーを使うからです。

また、花殻を取らないでおくと、花弁が植物体に付着して、そこにカビを発生させ、腐ってしまうので、それを防ぐ意味合いもあります。

花が咲き終わると、とたんに関心がよそに移りがちですが、植物の中では来年のための準備はもう始まっています。花後に肥料を補ってやることも大切ですが、日々の水やりや、害虫や病気から残った葉を守ることが、来年の花に直結するのです。

高山植物や希少種について

山草の愛好家の間でも珍しい花はみなさん関心をもたれ、入手したがります。しかしながら高山植物や希少種のようなものは、どちらもそれと知って手を出すべきではないでしょう。

なぜなら、高山植物は私たちの生活環境とはあまりにも違うところで長年馴化《じゅんか》してきた植物たちだからです。熱帯夜が続くような環境に持ってくることは、植物に酷です。

高山植物を高山で採ることはもってのほかですが、いわゆる「山採り」のものを買うことも、多くの場合「山荒らし」を間接的にやっていることになります。そういう心配から、熊谷草《くまがいそう》や敦盛草《あつもりそう》などはこの本の栽培項目から除外しています。希少種はいわずもがなです。

高山性の植物でも平地で何代にもわたって栽培されてきたものは、平地の気候に耐えられるものが自然に選抜され続けてきたのであって、これならば栽培できますし、自然を荒らす心配もないのでよいと思います。

【花を切り取るとき、あとのために葉を残す】

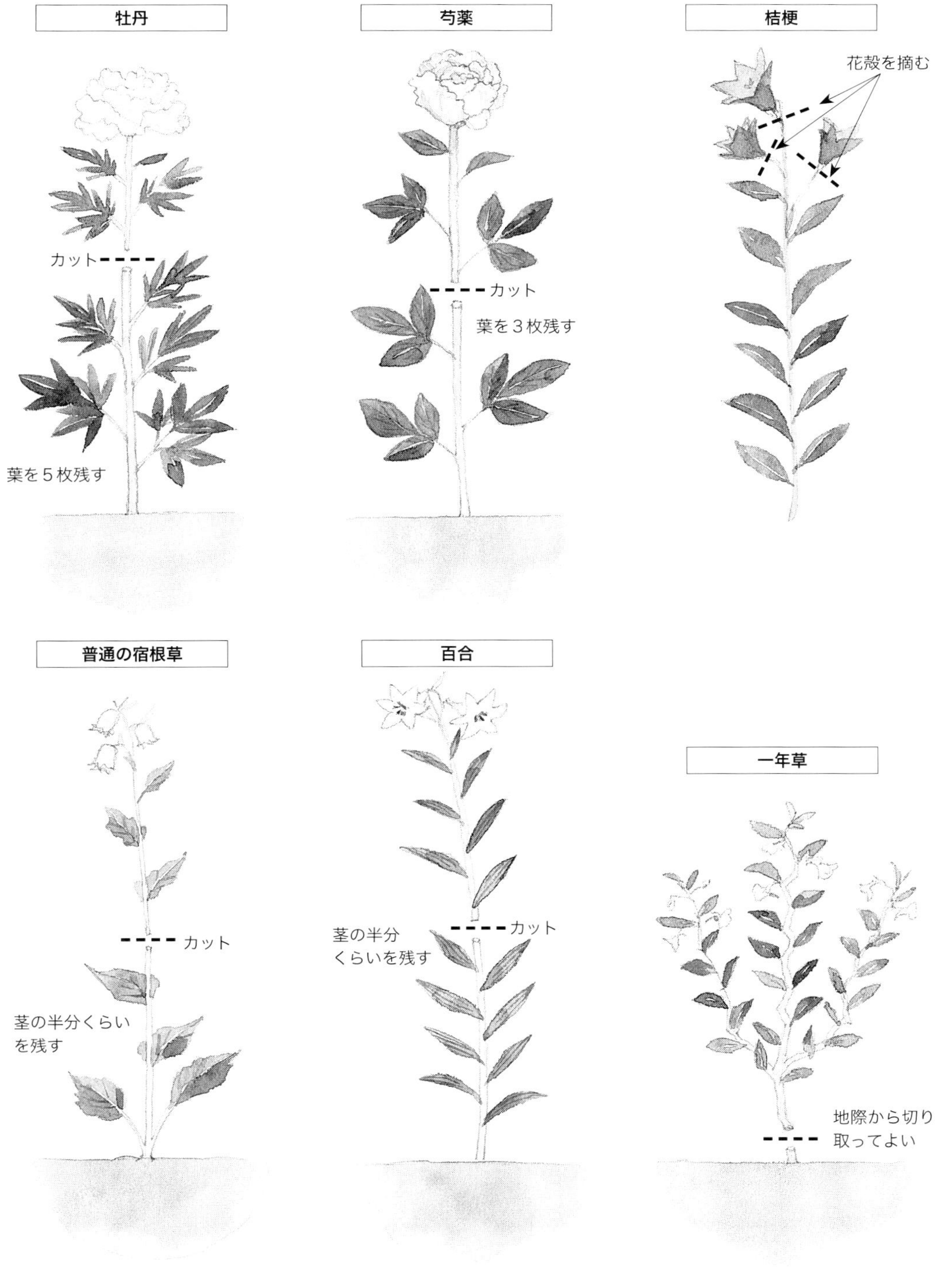
牡丹
カット
葉を５枚残す
芍薬
カット
葉を３枚残す
桔梗
花殻を摘む
普通の宿根草
カット
茎の半分くらい
を残す
百合
カット
茎の半分
くらいを残す
一年草
地際から切り
取ってよい

茶花索引

あ

秋丁字　あきちょうじ……101
秋の麒麟草　あきのきりんそう……101
木通　あけび……6
朝顔　あさがお……102
紫陽花　あじさい……40
東一花　あずまいちげ……26
馬酔木　あせび……7
油瀝青　あぶらちゃん……7
甘野老　あまどころ……58
碇草　いかりそう……26
一輪草　いちりんそう……27
鶯神楽　うぐいすかぐら……134
薄雪草　うすゆきそう……103
空木　うつぎ……42
靫草　うつぼぐさ……58
梅　うめ……8
梅鉢草　うめばちそう……103
梅擬　うめもどき……135
浦島草　うらしまそう……59
売子の木　えごのき……42
狗尾草　えのころぐさ……104
海老根　えびね……27
延齢草　えんれいそう……28
黄梅　おうばい……10
大山蓮華　おおやまれんげ……43
翁草　おきなぐさ……29
小車　おぐるま……60
朮　おけら……104
苧環　おだまき……60
弟切草　おとぎりそう……105
踊子草　おどりこそう……29
女郎花　おみなえし……105
雄山火口　おやまぼくち……106

か

歌仙草　かせんそう……107
莢蒾　がまずみ……44
蚊帳釣草　かやつりぐさ……107
唐糸草　からいとそう……61
烏瓜　からすうり……156
唐橘　からたちばな……135
唐松草　からまつそう……61
雁草　かりがねそう……108
刈萱　かるかや……108
寒菊　かんぎく……156
萱草　かんぞう……109
岩菲　がんぴ……62
寒緋桜　かんひざくら……136
木苺　きいちご……10
桔梗　ききょう……109
菊　きく……110
菊芋　きくいも……112
木豇豆　きささげ……136
黄菅　きすげ……63
黄素馨　きそけい……44
吉祥草　きちじょうそう……157
黄花秋桐　きばなあきぎり……112
木五倍子　きぶし……11
擬宝珠　ぎぼうし……63
京鹿子　きょうがのこ……64
金糸梅　きんしばい……45
金鳳花　きんぽうげ……64
金水引　きんみずひき……113
金鈴花　きんれいか……65
草の黄　くさのおう……65
草藤　くさふじ……66
草牡丹　くさぼたん……113
草連玉　くされだま……114
梔子　くちなし……137
クリスマスローズ　くりすますろーず……158
黒文字　くろもじ……11
黒百合　くろゆり……66
華鬘草　けまんそう……30
紅輪花　こうりんか……114
小手毬　こでまり……12
小楢　こなら……137
辛夷　こぶし……12
崑崙草　こんろんそう……31

さ

采振木　ざいふりぼく……13
鷺草　さぎそう……115
桜　さくら……13
桜草　さくらそう……31
実葛　さねかずら……138
沢桔梗　さわぎきょう……116
山査子　さんざし……139
山茱萸　さんしゅゆ……14
四手　しで……14
下野　しもつけ……45
下野草　しもつけそう……67
射干　しゃが……32
芍薬　しゃくやく……67
車輪梅　しゃりんばい……46
秋海棠　しゅうかいどう……116
秋明菊　しゅうめいぎく……117
数珠玉　じゅずだま……118
春蘭　しゅんらん……32
菖蒲　しょうぶ……68
升麻　しょうま……70
白糸草　しらいとそう……72
白根葵　しらねあおい……72
紫蘭　しらん……73
白山吹　しろやまぶき……15
忍冬　すいかずら……46
水仙　すいせん……159
髄菜　ずいな……47
睡蓮　すいれん……73
薄　すすき……119
鈴蘭　すずらん……74
菫　すみれ……33
先代萩　せんだいはぎ……74
仙翁　せんのう……62
千振　せんぶり……118
千両　せんりょう……139

た

蓼　たで……120
谷空木　たにうつぎ……48
田村草　たむらそう……120
段菊　だんぎく……121
檀香梅　だんこうばい……15
茅萱　ちがや……75
稚児百合　ちごゆり……34
丁字草　ちょうじそう……75
突抜忍冬　つきぬきにんどう……48
衝羽根　つくばね……140

指導
岡部　誠（花木）　木崎信男（草花）

茶花作品
小川良子　小林　厚　武内範男　田中昭光

植物写真
木原　浩

茶花作品写真
鈴木一彦（世界文化社）　小宮東男

イラストレーション
三好貴子

アートディレクション
新井達久

編集
松田純子
中野俊一
（株式会社セブンクリエイティブ）

校正
天川佳代子

はじめて育てる茶花の図鑑

発行日　二〇一四年九月五日　初版第一刷発行
二〇二〇年八月三〇日　第三刷発行
発行者　秋山和輝
発　行　株式会社世界文化社
〒一〇二―八一八七
東京都千代田区九段北四―二―二九
電話〇三（三二六二）五一二四（編集部）
〇三（三二六二）五一一五（販売部）
印刷・製本　共同印刷株式会社

ISBN978 4 418 14311 5